AF282882

ESCRITOS

Emilia Fierro Sánchez

ÍNDICE

PRÓLOGO

—Don Sebastián, ¿podría usted dirigir mi tesis doctoral?

—¿Sobre qué?

—Pues ya que la tesina la hice de arte —*La Semana Santa en Santa Cruz de La Palma*, por aprovechar documentos artísticos familiares—, ahora me gustaría algo personal: *Ética literaria.*

—Será *Estética...*

—No; el planteamiento del autor ante la página en blanco, símbolo del alma del lector, qué va a transmitirle.

Y el catedrático de Literatura, que me ofreció *El vianismo en Canarias*, me envió al de Filosofía, quien me desaconsejó tesis híbrido literario-filosóficas, pues un tribunal le había "tumbado" una similar sobre Quevedo.

—La Universidad hay que renovarla —me dijo—, pero por ahora sigue el mamotreto academicista "según tal, según cual".

—¿Y por qué, como Cervantes en el prólogo al *Quijote*, he de buscar autores que me digan lo que yo me sé decir sin ellos? El respeto a la libertad ajena me impide imponer al prójimo mi verdad, que puede no ser la suya. Cada uno tiene la obligación de plantearse la existencia, y no quiero acomplejar con mi "yo" el suyo, ni crear prosélitos.

La sed de Absoluto, de obra perfecta, me ahogó en el silencio. No quiero crear ficción, ni desnudo espiritual, ni yoísmo. Sinceridad: no autor de moda que hace leer párrafos sin ordenar cuatro ideas.

—El típico tapón —me replicó—; pero la fábrica, para producir, poluciona.

—Yo no quiero contaminar.

Años después, cuestionada la salvífica misión redentora de mi mensaje treceañero —*Política y amor: una niña embajadora de la paz mundial*—, fui destinada como profesora agregada a Manresa, dejando cinco hijos en Canarias con mi esposo para acudir, cada día, al lejano instituto.

El pan nuestro de cada día: las clases, el sacrificio del presente de mis hijos por asegurarles un hipotético futuro.

Intenté compensar con cinco puntos del doctorado los veintiuno perdidos en injustos traslados, con obsoletos recursos, por adelantarme compañeros posteriores.

Volví entonces al catedrático de Literatura.

—A mí Viana ni me va ni me viene —le dije—. ¿No podría trabajar otra tesis?

—Yo ahora solo las dirijo sobre Galdós.

Y así comencé la *Edición crítica de* El amigo Manso, escatimando fines de semana a mi familia en Tenerife, con vuelos directos La Palma–Las Palmas, donde, en la Casa-Museo Galdós, me prestaron todos los documentos necesarios. Convertí las energías de las negativas lágrimas depresivas en la sopa en volcar mis fuerzas durmiendo tres horas para acabar en un año la labor de muchos.
Ello me llevó a conocer en Congresos a escritores y profesores internacionales; pero el desconsuelo de mi obra sin hacer continuaba.

Entonces leo la convocatoria del Premio Planeta.
 Los concursos son armas de doble filo: fomentan la creación, pero subordinan al autor al criterio del tribunal.
Me autoemplazo a escribir doscientos folios antes de la fecha límite: treinta de junio.

La fecha se acerca inexorable. Liada con las faenas caseras
—sin chica desde agosto; el Gobierno aumentó el paro al
subir el seguro a la empleada doméstica— y con mis clases
(y no nos homologan por las vacaciones, sin recordar que
tanto el profesor como el alumno las necesitaban; el
oficinista no lleva correcciones a casa).

Mi madre hospitalizada por hemiplejia y afasia del veintiuno
de abril al catorce de junio; yo, griposa ayer y hoy; mañana,
suficiencia; luego, evaluaciones, claustros...

Y el reto de contar en trece días mi obra, cuyo silencio me
enferma; temiendo no decir mi mensaje solo porque no sé
cómo empezarlo, ni qué adorno o ficción darle.

Solo quiero concienciar a la gente de cómo está el mundo,
de que repartamos, nos demos a los demás con Cristo; que
Él me ilumine.

Y, como en las ejemplares novelas cervantinas, preferiría
cortar la mano con que fueron escritas que suscitar un mal
pensamiento:

Buena voluntad.

CAPÍTULO I - NIÑEZ...

La civilización occidental es cruce de la filosofía griega "Conócete a ti mismo" y la religión cristiana "Ama a Dios y al prójimo como a ti"; "Hágase tu voluntad... más líbranos del mal".

Cada persona es un mundo, tiene su novela: por tanto, no voy a fingir una historia, aunque literatura es crear vida propia, sino contar la mía; y no por egoísta, sino como se justificaba Unamuno, porque al hablar del hombre él era el más próximo. ¿Mi verdad?

I

NIÑEZ...

¡Bendita infancia!

 Sí, yo la tuve feliz, tercera de seis hermanos, todos de ojos azules como mis padres, más nuestro vecino Francisco Pallero, mi pareja vestidos de "magos" o jugando "a las casitas" en la azotea de casa. Él tiraba a las gallinas las "comiditas" que yo le hacía con gofio, coloreadas pastillas de goma, regaliz, soda en polvo, chochos, garbanzos y chufas, todo del "carrito" por una peseta.

Mi hermano, el pintor, organizaba el banco, la venta, el "taxi" —un enorme cochecito de bebé marrón de dos plazas—, el teatro "Cine Nik" o la magia en el primer rellano de la escalera, asiento-grada; las procesiones con pintadas casullas y vírgenes con nubes de algodón; las tres niñas arrodilladas con velo, misal y rosario, y el "cogotazo" o coscorrón al monaguillo Francis si reía con nosotras al campanillear el "Dominus vobiscum"…

Los trasuntos de las representaciones de su colegio San Ildefonso: una "Pasión" en la que yo alternaba de apóstol y Dolorosa; tras la sábana que colgaba de la repisa de nuestros juguetes —se me cayó una muñeca de pisa— había una silla con espejo, palangana de agua, corcho quemado para las barbas de discípulo y lápiz labial para la Virgen, y con mi risa-llanto "¡Hijo, ah, ah!" emocioné a la vecina.

Al día siguiente jugábamos "a los indios", atrincherados en los vacíos cajones de madera de "Calzados Regia", iniciales de Carmen Rosa, que nació al inaugurarlo mi padre.

Recuerdo a Pepita arqueada por una repetida vacuna
antitetánica de tantos clavos, y a Facundo salvándola de caer
al patio dentro del cajón balanceándose el travesaño en la
baranda de la azotea.

 Mamá gritó: "¡No te muevas, nena!", y descargó su susto en
azotaina cuando la tuvo en sus brazos,besándola.

 (Cuando la plaga de langosta, espantándolas de las plantas
con tablas, casi la mato en la garganta).

Las plantas eran el delirio de mamá: si le rompíamos una
maceta, ni nuestro vecino se libraba al bajar de la ligera
nalgada.

Los juegos violentos me aterraban: espadas de madera o el
brilé en el colegio me asustaban, temía sacarme un ojo.
Prefería dormir bajo la cama jugando a las muñecas
recortables de papel que vestía en fila para el campo o la
misa, bajo la mirada de Carmen Rosa.
Cuando llegaba mi padre —"los niños con los niños y las
niñas con las niñas"— corríamos a bordar al lado de mi
madre, que adoraba matizar sus bordados. Ella, canaria, se
había criado en un chalet de Ciudad Jardín; en las

"Teresianas" fue compañera de Carmen Laforet o de la hija de Tomás Morales, pero no quiso estudiar.

Recibió clases de bordado de Cristina Moníz —a la que casi despedazó un perro suelto ante su impávido terror—, de piano con don José Batista, y de pintura con Lía Tavío.

Casada a los diecinueve años, cuidó a su suegra y cuñada; y a nosotras, si un día no teníamos clases en el colegio, nos enseñó a ayudar a las chicas (como decía Tolstói en carta a su hija, que educara al nieto en igualdad cristiana).

Luego, cuando enfermó del corazón, sin servicio, aprendimos a cocinar llevando la sartén a su cama:

—¿Así?

—Añade un majado.

O:

—Más doradito.

¡Paciencia!

El primer recuerdo de mi niñez se remonta a bajar la escalera del hall de mi abuela, oyendo lánguida música norteamericana. Dos recuerdos se magnifican, auto engañándome: uno, cuando contaba que mi madre me salvó de morir de tos ferina al meterme, casi negra de asfixia, bajo

la llave del agua; el médico la felicitó y nos hizo transfusión.
Yo contaba que ya estaban la "caja" y la gente del entierro
esperando en la calle.
Y otro: que el jardín de mi abuela era tan grande que
hacíamos noche para darle la vuelta. ¡Y yo convencida!

Mi padre era palmero, y en 1950 fuimos a La Bajada de la
Virgen, a la que volvimos todos juntos con nuestros hijos en
1985. Vi a los "Enanos" en la plaza de Santo Domingo
desde las ventanas de Lozano Van de Valle, pues la contigua
casa de Fierro la vendió mi tía Rosario —a la que Pedro
García Cabrera dedicó el *Soneto dorado* y Bruno Brandt una
acuarela— a una fábrica de tabacos que la quemó.
¡Y había resistido un incendio de "Pata Palo"! Solo quedó la
fachada, en la que se apuntaló la extensión del escenario de
la plaza Santo Domingo. Me dieron ganas de sacarme la
lotería para rescatarla a la familia.
Recuerdo, con Pepita, barrer el salón y descubrir arcones
con trajes antiguos, panoplias de armas, un león…
Al reanudarse las "Fiestas de Invierno", los Carnavales —
mascaritas Rambla Pulido abajo, de aflautada voz y
abanadores—, nos disfrazamos mi hermana y yo de "damas

antiguas": mi padre me hizo un miriñaque, y mi tía no nos
dejó asomar al balcón para ambientarnos mientras nos
peinaba con tirabuzones como en el *Minué* o *Loa*.

Salimos con antifaz ("¡Qué vergüenza!"), mientras los
espadachines nos ofrecían su capa para pisar, o las
"guaguas" frenaban a nuestro paso para contemplarnos.

—Cuidado con el traje —me decía mi padre—, que venía
tras nosotras.

Y yo:

—Aléjate, que nos conocen.

¡Y era porque cuando pasaban a mi lado se me levantaba el
miriñaque por detrás!

Ah, los objetos nos evocan… ("Beato sillón", decía
Guillén).

Yo le perdí a mi padre una pulsera de monedas antiguas
con un duro impresionante, resto de la colección de sellos y
monedas de mi bisabuelo —con quien él se crió en la
biblioteca "Cosmológica"—, de ahí su "culturón" sin
carrera.

Yo me parecía tanto a mi bisabuelo nacido cien años antes,
que bromeaban con su reencarnación. Una vez, limpiando el

polvo de su retrato, coincidieron nuestros ojos en el cristal: exactos, misma mirada.

(Otra pérdida lamentable fue el portafolios con mis escritos infantiles: *Beatriz la bondadosa*, ilustrado al estilo *Azucena* — colorines que leía a Carmen, la asistenta doméstica, mientras planchaba: *Flash Gordon, Hazañas bélicas…*) y *Política y amor*, cuando mis compañeros profesores me ayudaron a llevar el equipaje de mi bebé Isabel a mi destino en Manresa).

En mi época no se obligaba a las chicas a estudiar. ¿Por qué lo hice yo, cuando mis hermanas lo pasaban mejor en Cultura, cocinando, pintando, mientras nosotras, alumnas de Bachiller, formadas en fila de dos ladrillos, parecíamos robots?

Había perdido tres cursos por esperar regresar Pepita del médico en Madrid o Las Palmas (el púdico encogimiento del desarrollo desvió su columna). A mi padre le gustaba que saliéramos las tres hermanas juntas a todas partes; teníamos una profesora particular y no pensaba examinarme. Pero un verano mi padre decidió que volviéramos a la Pureza, y recuperé el tiempo perdido cursando libre dos cursos en uno.

A los trece años pasé las navidades con mis tíos Juan y
África en La Palma. Cursé un mes en "La Palmita".
Entonces llevaba en la maleta escolar un muñeco con su
ropita cosida por mí y dos libretas con los cuentos antes
dichos.

Mi comezón de "arreglar el mundo" había empezado antes,
escribiendo en papel higiénico, con menuda letra
indescifrable, mis sueños de heroína redentora. Sautier
Casaseca aconsejó que acabase algo para radiarlo, pero eso
disminuía mi efecto universal: yo me veía discurseando ante
el espejo, convirtiendo al bien y al amor a la gente del globo
entero.

Mi padre quiso hijos varones, pero mi hija Emi fue "la
reina" de sus nietos. Tras su primogénito —con cinco
nombres, como yo, ambos los de nuestros padres—
seguíamos las tres hermanas, y festejó el nacimiento de José
Domingo, que era tan lindo que mis padres regresaban del
cine y yo aún lo contemplaba en su cuna.
Al benjamín, Juan, le hizo mi tía una caja con caramelos
"que nos había traído la cigüeña de París". Me encantó su

diminuto piececito y, empeñada en tenerlo en brazos,
cuando me lo dieron a los pocos meses, lloré al irse la niñera
a la cocina, al fondo del pasillo, y yo sin atreverme a soltarlo
en la cama ni caminar hasta allá:

"¡Que vengan a coger el niño!".

(Años después, al aconsejar el médico don Fernando que
aprendiéramos a poner inyecciones —de aceite
alcanforado— por el corazón de mi madre, en el
"Hospitalito de Niños" curé a un quemado, sobreponiendo
mi fatiga de ver sangre, pensando que en una guerra los
sanos debían atender a los heridos.

Cogí por segunda vez un bebé al que las madres presentes
rehusaron pesar, de "podrido" que estaba, tanto, que vi la
muerte como solución, yo que siempre la había considerado
evitable.

Era tonto morir por caerse, se daba un salto al final… o
por un puñal o bala.

¿Un simple agujero destruía todo un organismo?)

(A don Fernando lo conocimos cuando vino a ofrecer
eutanasia para "Tita", la mona que había mordido a nuestra

cocinera y que sabía abrir un candado y se había escapado por las azoteas, donde su esposa tomaba el sol con su bebé. Papá le hizo una jaula para donarla al Jardín Botánico de La Orotava.

"Yo no te quiero dejar, Tita", y ella lo miraba tristemente resignada.

Luego me atendió cuando mamá accedió a acompañar a papá un fin de semana a Las Palmas y a mí se me cortó la digestión al patinar de bailarina en la azotea baldeada tras regar. Durante el ataque estuve paralizada y ciega. Me acompañó toda la noche y desperté pidiendo "pan con nata".

Al bajar a recibirla entre todos, mamá adivinó:

—¿Qué te pasó?

Eso la afincó más en casa.

Y papá:

—Convénzanla para ir al cine.

Solo salíamos los domingos a misa; nos sentábamos en el Atlántico o el quiosco de la plaza del Príncipe.

El camarero:

—¡Qué educados!

Porque a una ceja de mamá cogíamos las almendras o bebíamos refresco.)

Nuestra azotea tenía un recuerdo especial para mí.

La casa, de dos plantas, entre las "terreras" de la Rambla Pulido, era un mirador de la ciudad. Todos los fines de semana nuestro abuelo, papá Domingo, venía a ver a su "taleguita", que se le casó tan pronto.

Desde el ventanal del pasillo —"donde entra el sol no entra el médico"— veíamos llegar su barco al muelle, o los chiquillos de las ciudadelas traseras gritaban "¡el avión!" a su paso.

Hoy queda aprisionada entre los edificios de ocho pisos de la calle. También las casas tienen su historia, y a mí me gustaría que se conservase la mía natal.

Aunque al no tener ascensor, hoy mamá tiene que estar en casa de Pepi, en la avenida de Anaga, hasta rehabilitar su hemiplejia.

En esa azotea —a la que no me asustaba subir sola de noche a recoger la ropa— veía el reflejo de la luna en la "pileta" y danzaba sintiéndome flotar por todo el universo, para el que la mente no tiene fronteras ni precisa contaminantes vehículos.

Allí surgió mi primer poema: el de la niña que todas las noches contemplaba el firmamento y un día lo ve repetido en el microscopio: las mismas estrellas fugaces, constelaciones, en una gota de agua o de sangre.

Y se supone parte de una niña cósmica que, a su vez, alberga millones de niños atómicos.

Ese poema, perdido en el malhadado portafolios, acababa así:

> Y la estrella y yo y el átomo diremos
>
> ante el mundo menor: "¡Qué grande soy!"
>
> y ante el mayor: "Y qué pequeña."

Comencé *Política y amor*: la historia de una niña que salva al mundo y conoce el amor perfecto.

Leí críticamente, impermeable, las clásicas obras maestras —*Biblia, Ilíada, Quijote, Suma Teológica*— y no hallé la obra perfecta.

Esperé conocer el amor para expresarlo.

Estudié Filosofía y Letras, y la erudición ahogó la inspiración: el amor real al ideal.

Soñaba interpretar en la pantalla el papel de Estrella, que tuvo una infancia feliz, pero, al perecer sus padres en accidente aéreo, los médicos le aconsejan un viaje para superar su depresión anímica.

Se tiende a descansar tras salir de compras con su amiga, y le anuncian la visita de tres delegados de China, África y España, que la solicitan como embajadora de Paz en el mundo:

—Usted pensaba dar un viaje de recreo para aliviar el dolor de su espíritu, pero la felicidad no se busca fuera, sino en sí misma. Si convertimos este peregrinaje en una Misión, se hallará al darse a los demás. Es exigente con la felicidad: para hacerla suya, necesita verla en quienes la rodean. ¿Por qué no ampliarla al mundo entero?

—Pero yo soy muy joven; quizás mis conceptos sean prejuicios. No conozco el mundo. Respeto a la persona, no impongo mi bien; cada uno interpreta su vida.

—No obstante, hay injusticias ancestrales en los gobiernos y clases que debemos equilibrar. El desarme y el respeto a la naturaleza son peligrosos en nuestras experimentales manos.

La hemos elegido por joven e imparcial.

—Bien, lo intentaré.

Y Estrella, en un especial minivehículo tierra-mar-aire, con protector chófer, inició la ruta a la que convergieron representantes de todo el mundo: Madrid, Moscú, Egipto, Washington, São Paulo y Sídney.

Suiza, neutral refugio de la problemática Europa, debía ampliar su bandera blanca a toda ella.

Se propuso el latín —lengua muerta— para evitar la diversidad lingüística, dialecto del indoeuropeo como el sánscrito.

La caridad del hijo de Dios, como nosotros, implicaba el bien común, un reparto de la producción racional y responsable.

En Moscú concilió el desarme con USA.

La educación libre depuraría las creencias tradicionales; una ideología utópica que quiso abolir el Estado, previa su potenciación para un reparto equilibrado, atascó su revolución, ahogando al individuo en la fiscalización dictatorial.

No revolución, sino evolución natural: sin prisa y sin pausa, como la estrella.

(Me encantaba ensayar para el cine ante el espejo: la escena en que parlamentaba con un jefe ogro mujeriego, previa condición de respeto a una aparente viejecita encorvada bajo un manto.

Desfigurado el rostro, elevando los labios cuadrados hacia la nariz fruncida y guiñando los ojos; lograda la promesa de paz del displicente dictador, me volvía transfigurada en esplendente belleza.

Con solo aflojar aquel gesto contraído, lograba su admiración y respeto, que influía en el acatamiento de mi mensaje, milagroso como yo).

En China, Estrella se halló en otro mundo: el enigma de los ojos oblicuos con su ancestral filosofía y su estar de vuelta de todo.

El color de la piel humana le hacía suponer una evolución: el mono era la reserva, el negro el primer hombre anímico, con su gran sentido del ritmo e intuición de la vida cósmica. Tribus salvajes se trepanan el cráneo para mantener la "fontanela" de los recién nacidos abierta y captar la naturaleza —pues al cerrarse se osifica también nuestro espíritu—.

Cualquier animal sabe nadar, menos el hombre, pues el miedo de la razón —"no sabe"— ahoga su instinto, y entonces se ahoga.

El blanco se amarillea como fósil enigmático, insensible por su antena a la otra vida: Nirvana y tradición enraizada por milenios de costumbre.

Le era difícil practicar la religión del judío Cristo.

El final evolutivo enlazaba con el infantilismo mongólico.

Al llegar a África pasó por las milenarias pirámides —el regalo del Nilo—. Egipto la aproximaba a la cuna de la humanidad, entre los ríos de Mesopotamia.

Los árabes se enriquecían con los intereses creados del contaminador petróleo.

África negra se dividía multiplicando sus países. Enseñados a autoabastecer, a cultivar campo y pesca, conservar y distribuir, enseñanza e higiene médica: un trabajo esperanzado, en bien común.

En América del Norte, el confort materializaba tanto como el marxismo, y abogó por descentralizar la policía excesiva, enseñar a repartir y no vivir mecanizados.

Volver al campo, no a Babeles que solo rascaban el cielo con cemento, sin espíritu.

En la del Sur se extremaban la miseria y el lujo; como en China, había que frenar la demografía.

Australia acogía la emigración, pero pronto el excedente la superpoblaría.

En fin, este globo que gira vertiginoso en su expansión cósmica albergaba fugaces vidas en su hirviente esfera, caos en que la mente humana —todo es relativo— hallaba tiempo para narrar su historia y… hasta aburrirse o desesperarse (*Spleen et idéal*, "¡Despertar es morir!", bequeriano).

Conciliado el mundo, hermanados todos en sustituir guerra por paz —los científicos convirtieron el armamento atómico en energía productora para alimentación y habitación sanas—; el odio por amor —la justicia se convirtió en igualdad y libertad responsables—, se fumaron patrias y religiones en defensa de la **familia**.

Tras la política, Estrella conoció el **amor**.

 El mito andrógino cuenta cómo el ser humano se escindió en dos mitades que se buscan para completarse (vulgar "media naranja").

 Halló su alma gemela, respetándose mutuamente: el amor no es un egoísmo a dúo; es ver al "otro", no un espejo; dar más que recibir, dejando semillas en este mundo en hijos, ideas y obras.

Caridad. Buena voluntad.

Estrella pudo descansar.

 Tras el éxito de su agotador viaje, llegó a su casa y durmió en su cama con la conciencia feliz del deber cumplido.

 Cuando al fin despertó, vio las maletas preparadas por su amiga, que le decía:

—Al fin pudiste dormir doce horas seguidas. El médico está contento de que hayas podido descansar.

¡Todo había sido un sueño!

CAPÍTULO II - NOVIAZGO Y BODA

II

NOVIAZGO Y BODA

A los trece años, recién llegada de mis navidades en La Palma, empezamos mis hermanas y yo a pasear por la avenida de Anaga o la plaza de Candelaria. Con la novedad, Pepita rehusó ir a la Bajada de la Virgen, y al despedir a mis padres vimos que se iban los chicos del paseo.

A mí me había acompañado un muchacho al que le pedí que no diese un paso más, porque yo era una niña chica.

Un día que fuimos a misa en El Pilar conocimos a Igle.

—El de la Iglesia —me indicó Pepa en el paseo, y yo, despistada en fisonomías, pregunté:

—¿Quién?

—Yo te aviso con el codo cuando pase.

Y en el momento en que yo miraba, él me guiñó la nariz y me quedé colorada. Pero como nunca me hablaba, y yo estaba acostumbrada a charlar sin coqueteo con los compañeros de estudio de mi hermano —inusual en alumna de Pureza, a las que nos esperaban los Escolapios en la "estatua" de la Rambla—, empecé a cogerle antipatía: "¿Le dará vergüenza acercarse porque soy pequeña?", pensé. Él, de diecisiete años, usaba trincheras de piloto del aeroclub, ya trabajaba en el banco y parecía mayor; y cuando, a mis quince, quiso acompañarme, pensé: "¿Ahora vienes?".

Y mi hermana me decía:

—No quiero, no quiero, métemelo en el sombrero.

Porque al rato yo reía con sus bromas y chistes. Conocía a un buenísimo venezolano que platónicamente me propuso boda; le contesté que era aún muy niña. Algo me gustaba un amigo que nunca se insinuó. Él fue quien me dijo que a "Igle" lo llamaban Rifia, mi actual esposo, quien cree que no se hubiera casado conmigo si no se mete entre ambos al pasar por una farola. Yo paseaba a un metro de distancia, girando en hélice la bolsa de merienda escolar:

—Hola, Emi... ¡Ah! ¿Estás acompañada?

Él sabía que yo no quería pasear siempre con el mismo chico —no creyesen que fuera mi novio—, y que no quería noviazgo hasta que fuera a casarme. Por eso, cuando se me declaró el 19 de marzo del 59, no esperaba seis largos años.

¿Quizás me influyó que mamá se casó con su primer y único novio a la edad de diecinueve?

Yo recé cuando lo acepté. No era flechazo de príncipe azul, pero lo adoré en pedestal. ¿Enamorada del amor? Ignoré sus defectos.

Supongo que lo compensaba la admiración que mostraba por mis ideas de escribir, de evangelizar…

Yo aceleré mis estudios: cinco años de Filosofía y Letras me parecían largos, y simultaneé con Magisterio, que dejé por la Química, con las prácticas de enseñanza y el albergue hechos. (Los pequeños de la escuela me comían a besos). Rafael prometió a mi padre que yo acabaría Filosofía y Letras, que me casaría en las vacaciones de Navidad del quinto curso. Así que me examiné, en el sesenta y cuatro, de dos asignaturas que me habían quedado de segundo —por examinarme de Magisterio—, todo tercero, cuya matrícula oficial quise pasar a libre al enfermar mi madre, y todo cuarto. ¡Qué prisa!

Mi noviazgo transcurrió paseando por los pocos escaparates —ventanas, vidrieras— de la Rambla Pulido.

—Doña Emilia, ¿deja ir a Emi al cine?

—Sola, no.

—Sola no; va conmigo.

(Pero tenía que convencer a mi hermana Pepi de que nos acompañara).

Más adelante subió a casa y charlábamos mientras yo bordaba el "Richelieu" de mi ajuar. No sé de dónde sacaba tiempo.

Mi padre me dijo:

—Para ti hubiera querido un rey. Te supongo inteligente para saber que, si te equivocas con una amistad, te duele, pero se remedia; pero el matrimonio es para toda la vida. Deber y amor.

Cuando me casé, temblaba.

CAPÍTULO III - CREACIÓN Y EDUCACIÓN

III

CREACIÓN Y EDUCACIÓN. (Mis hijos, mis clases, mi obra)

Al nacer nuestros hijos, Rafael tenía celos de ellos, y de mis padres. Si llegábamos de la calle con los bebés hambrientos, se sentaba esperando lo sirviera a él primero, el lugar de ayudarme a atenderlos antes; (mimado "a lo moro"). Sus Padres murieron casi juntos: él estaba enfermo de urea, expiró el 20 de diciembre de sesenta y nueve y a ella le dio un infarto al día siguiente; tuve que desviar la ruta con los niños al parque,
pues Rafa adoraba a "abuelo monta a caballo", como respondía a su pregunta: "- Alemán, venga aquí: ¿Quién soy yo?

Yo daba clases, que dejaba al nacer mis hijos: En "Bayco" esperando a Emi; "Pureza" a Elena, "Calasanz" a Eva; IB "Poeta Viana" a Isabel; pero ese verano del setenta y nueve aprobé las oposiciones de agregada de instituto y como acababa de convencer a Rafael de pedir sendos créditos para comprar la ganga de nuestra casa -llevábamos veinte días en ello, se nos cayó el mundo encima separar la familia-, tuve que llevarme a mi destino Manresa a la pequeña de cinco meses y siguieron los traslados a Arucas, Los Sauces…. pero la forzosa separación nos unió.

Yo hubiera deseado criarlos en el campo ya que a los seis años hubieran compensado en dos cursos la básica; pero las horas de mis clases iban en mi. Rafa a un kinder con dos y un añito de edad. A Emi la enseñé a dibujar de meses: "Un nené, totó, miau, cua- cuá" y le leía cuentos de Caperucita y la Ratita presumida mientras comía - no me dejaba saltar una hoja-; se elegía sus zapatos desde bebé y tenía genio, carácter; una noche lloró a pleno pulmón por otalgia y al día siguiente los vecinos estaban sonámbulos en la venta. Mi suegra se asombraba:" -Es demasiado lista; se va a atrofiar…" Me acompañó a las oposiciones a cátedra el sesenta y ocho en Madrid: "- Mamá este atuendo es juvenil pero no adecuado al tribunal, ponte el traje chaqueta…".

Recuerdo Anécdotas cuando aprendían a hablar:

-¿Cómo te llamas?

-Rafa Tín Fiedo

-No, Mar-tín; ¿Tú no has visto al mar cuando vas a la playa?.
Pues dilo.

-Dafa Playa-tín Fiedo.

Eva no había hablado palabra y de repente se me colgó
rodeándome cintura y cuello con sus piernas y brazos:
"¿Entonces quedamos en que ibas a comprar un polo?" (Me
quedé "patinando" "alucinada", diría hoy -boquiabierta).

E Isabel cuando en Manresa me veía leyendo o corrigiendo
saltando desde los barrotes de su cama pensaba ¿Qué hace
mirando fijo a ese papel?; hasta que un día yo grababa en el
cassette y comprendió que el papel " decía" algo.

Tuve que descolgar la foto de la familia, porque la señalaba
y me tiraba del pelo de la ropa hacia la puerta: "Vamos con
ellos" ¡Con cinco meses!.

Todos ellos dibujaron pronto - acapararon premios en
concursos para empleados del banco- y les encantaba leer y

escribir - Elena hacía poemas y cuentos. Y tocar música "de oído": yo soy nula para instrumento; en casa sabían los varones, sobre todo Juan, el torero, que en la mesa " tocaba" en los vasos de agua o, cierto día que estaba agripado en cama: "- Alcanzame la guitarra".
"- No, que tengo que estudiar un examen": ¡Sacó música del " hilo de bala" con el que empaquetaron en la tienda una caja de zapatos!

Cuando estudiaba la carrera, incapaz de memorizar sin razonar, prefería ampliar bibliografía y crear el tema; recuerdo que el profesor de Filosofía Ruiloba me advirtió: "-Lo tuyo es lo realmente universitario: ampliar y crear; pero te vas a llevar "palos" y así fue en las oposiciones a cátedra del sesenta y ocho. "-¡Precioso! ¡la primera o te excluyen!" - opinaron cuando leí mi tema, diferente, dependía del criterio del tribunal, que me excluyó por "personal".

Desalentada, escribía en el Náutico:
-El mar azul se debate mansamente frente a mí, yo tendida al sol me ahogo en un sentimiento hostil:

haber sentido a mi lado a Dios

haber sentido a Dios en mí

haberme sentido yo Dios

…¡ y mi obra no escribir…!

Que hoy, veinte años después, rectificaría así:

EL MAR AZUL ESPEJEA

El mar azul espejea

brisamente ante mí

yo tendida al sol aspiro

vida en un mundo feliz.

EL PAPEL ERA MI PAÑO

El papel era mi paño de lágrimas:

Día cansino, vacío, eslabón,

lo he llenado vegetando, sin crear,

esperando el mañana.

coger fuerzas, dormir, esquivar la rutina,
" mañana será otro día";

cuando siempre, contrarreloj:
" no dejes para mañana…"
"no por mucho madrugar" …

¿pero somos dueños de nuestro tiempo?
si el próximo minuto no viviera…
¿dónde está mi creación, mi obra?

Ni atropellar, ni retrasar:
el justo son.
Acompasar nuestro latir
con el de la creación.

Crear… creer…
¿Creo en algo ya?
Mis preciados y preciosos hijos
crecen a mi lado, en el colegio,

y al llegar: ¡a dormir, que pierden la guagua!

no juego con ellos, no los disfruto

y pasan los días

atada a las faenas caseras, clases,

oposiciones…

Termina el curso, y en vez de descansar

libre, feliz,

ya llevo dos años sacrificando el verano;

Fastidio a mi familia por cátedra o chalet

¿olvidé las aves del cielo y flores del campo?

Atortugada, afincada a la tierra,

afianzando mi puesto,

lastro mi eterna grandeza

Libertad, alegría, paz, bien, verdad

salvar a la humanidad, inmolada gloriosamente;

pero hoy esa humanidad

se me tiñe de envidia,

rencor a los "palos" suspensos, triunfo

holgazán…

Y yo, que soñaba cual Genoveva de Brabante criar

a mis hijos en cueva reyes de la Creación

dueños de sí mismos;

hoy me oyen anhelar un puesto, casa.

Me lastro y castro mi ímpetu creador…

Crear…creer…¡Amar! No se seque mi corazón

y ame, por mis hijos, al mundo otra vez,

y luche,

crea, cree…

Al regresar de mis fracasadas oposiciones, la separación de mi hermano desconsuela a mis padres, y los invito al año compostelano a Galicia con los, entonces, cuatro nietos y Rifia y yo. Me encantaron los parajes verdes, los ríos cristalinos, los limpios barrancos de mullido césped - en Canarias pedregosos basureros- Santa Tecla, La Toja, Rías Bajas…

Mi padre me escribió:

No me mires a los ojos

para verme allá en el fondo (¿o en lo hondo?)

que te los cierro, amorcito,

pues mis penas las escondo.

Yo le contesté:

NO ME CIERRES MÁS TUS OJOS

No me cierres más tus ojos

que son tu trozo de cielo

el "encuentro" pasajero

de lo que serán despojos.

¿Y no es dichoso consuelo

compartir con alegría

las penas de nuestra vía

y levantarnos del suelo?

Mira en torno: todavía

tienes mucho en que gozarte;

lo demás es "nadería"

que contrasta el estandarte

de nuestra larga agonía

por el amor de plasmarte.

Por navidades mis hijas crean para el colegio letra y música

de villancicos: yo me animo a componer dos, de altas notas:

1974

Navidad…

nace el niño en el portal

para traernos la paz

pero el mundo sigue igual…

Navidad…

día de tregua universal

sólo un día de amor

todo el año desigual.

Navidad, árbol, portal de Belén, turrón
niños con mucha ilusión
alegría en el corazón

Navidad, campanillas de cristal
corazones encendidos
para lograr la verdad. Danos la paz. Navidad.

1975

Navidades… dos mil años de verdades
ignoradas por el mundo
ahogadas por maldades.

Navidades, entrañables para muchos
para otros vanidades
pues ignoran su sentido.

Ven Jesús, abre nuestros corazones, Dios,
ilumina nuestras mentes, sí,
ame al otro como a ti.
Y si le quiero, y te quiero

solo obrare su bien, tu bien.

Buena voluntad y amor

únenos a todos Tú, Señor.

En mil novecientos setenta y nueve hallé comprensión en mis compañeros catalanes, que no se explican cómo los canarios han permitido a una madre salir de la región.

(Es que parecen querer aburrirme para que suelte la plaza). El director del Instituto es bellísima persona. Yo me alojo en una residencia de religiosas que me preguntan si la niña llora, y yo me paso la noche pasándola de la cama a la cuna: temo aplastarla si duermo agotada.

Pero la calefacción se cierra a las diez y, a la media hora, parece nevera. Las mantas frías… y vuelta cama-cuna y viceversa toda la noche, hasta llegar la "canguro", licenciada en Literatura, que pudiera suplirme, e ir agotada a clase.

Y al acabar el trimestre y llegar a Canarias, me esperaba la chica para despedirse. La víspera del regreso conseguía una nueva para ellos, pero llegaba exhausta.

Con los alumnos no tuve problemas; al principio me

miraban con suspicacia, pero los estimulé a trabajar:

"-Hay que fomentar una lengua tan rica de tradición y cultura, como el catalán, pero no en detrimento del castellano, pues pierden la facultad bilingüe; los monolingües somos más torpes para aprender otras lenguas, hoy se tiende a universalizar, no limitar".

En COU, dando "El Tema de España en la literatura" dije que se podía contrastar la oda de Maragall " escolta Hispania la veu d'un fill que et parla en llengua no castellana" y los chicos se rieron por la pronunciación con acento canario:

"- Luego os quejáis de que la gente pase su vida aquí sin molestarse en aprender vuestra lengua materna: ¡Si ridiculizais…!

"- No podemos evitar reinos"

Cuando acabó el curso, a un alumno voluntario para explicar - suponía que mejor que yo- la literatura catalana, le pregunté mientras ojeaba hojeando la obra de Papasseit:

-"¿Qué significa esta palabra?"

Él la desconocía, y yo la deduje por el contexto:

- Ah, ¿Pero usted entiende catalá?

- Claro, hice filología románica

- Entonces ¿Por qué no lo habla?

- Porque os reíais.

Como Jefa del Seminario organicé un Concurso literario y di el primer premio de Poesía a una en catalán, dulzura provenzal, y el primero de Prosa a un cuento- ensayo en castellano.

Al Final del curso suspendí a un alumno que no hizo el Comentario de texto, un villancico de Ángela Figuera, escribiendo: "No me gusta 1) porque está en castellano y 2) porque repite (a causa del estribillo) y añade: "El pob le que garda la seva llengua té la clau de la Libertá"; yo le anoté: "No politices ¿eres esclavo acaso? La cultura es universal" Y al entregar los ejercicios dije: "-Hay alguno de agresividad improcedente, un comentario se hace en la lengua que esté, respetándola". Los alumnos preguntaron qué había pasado, y al enterarse me dieron la razón: No ser fanático. Al acabar el curso me despidieron con hermosos

ramos de flores, uno con claveles blancos y teñidos de azul
por cada chica y chico - coincide con bandera tinerfeña- y
una enorme rosa roja: yo. Una muñeca de seda, libros,
perfume, medalla de Montserrat.

El simpático director del centro me decía:
- Emilia, con lo "agarrados" que somos los catalanes que ni
una flor, y mira qué ramos ¿Y te nos vas?

En su niñez pasó un par de años en Tenerife, jugaba en la
calle María Cristina del barrio de Rafael y estuvo en su
colegio, san Idelfonso. Cuando llegué, bromeaba:
-Aquí el frío es muy sano, no queda un insecto; te lleva
rápido por la calle, ocho grados bajo cero, nadie se para a
saludarse, con el cuello levantado: "Deu, Deu".
Era verdad: los pies me volaban de la residencia Sagrat Cor
en la calle Enrique Morell (cambiaron el rótulo por "carrer
Joc de la Pilota") Hasta la Plaça Maior donde estuvimos
provisionalmente, pues era un peligro una escalera particular
para un centro público; yo contemplaba a los campesinos
vendiendo sus verduras en el mercado ambulante de la plaza
a través de los vahosos cristales; llevaba tres mangas como

una cebolla y con la calefacción, parecía hacer estriptis,
hasta que se acabó el nuevo edificio en las afueras de la
ciudad.

Mi maleta se había demorado en una agencia, y cuando la
recibí a las semanas de estar allí observaba el director:
- Con razón preguntabas por ella; ¿Traes cada modelito…!
Ese abrigo no lo usas allá, eh?
(Yo me cosí a la ropa de verano con telas del "Kilo", la de
invierno comprada a través de los cinco años que vivimos
en La Laguna cuando Rafael inauguró la gerencia bancaria:
mil pesetas más y la familia sube y baja todos los días, las
niñas en la Pureza, Rafa en el CEU, yo al "Viana"; incluso
un día les derrapó la guagua…(yo quería comprar casa y
confundían "bancario" con "banquero" y me pedían más y
al querer traslado a casa, " los penenes y parados
defendemos el pan, tú el caviar" ¡Apariencias!) -Mi tía
madrileña había comentado: "Os tenéis tan creído lo de la "
eterna primavera" que nunca he pasado tanto frío", por las
centenarias casas laguneras sin calefacción).

Un día comentaban porcentajes de felicidad, y yo dije

cincuenta por ciento:

- Entonces cuando estés en Canarias el 100%.

-¡Claro! - (la distancia me aquilataba el presente)

"Alegra esa cara: dentro de poco es Navidad; tú te pones
mala una semana antes y yo no sé nada". (¡Qué distinto
Hermelo en Los Sauces, que con la carretera palmera
bloqueada por obras no me dejaba adelantar cinco minutos
de receso con riesgo de perder el avión semanal!).

Yo agradecía esa benevolencia, y cuando acababa el curso
(tras invitarme a almorzar a su casa con su esposa, bellísima
persona, me mostraron nuevas urbanizaciones:
-Vente con tu familia, al lado de Europa; el destino te trajo.
-Los canarios somos flor de invernadero, no resisto el clima.
- y se enteraron de mí espondilolisis lumbar)
-¿Cómo no lo dijiste antes?

Me facilitaron que yo acabase el treinta de abril - yo ya había
impartido el programa-, con lo que pude asistir al "I
Simposio de Lengua y Literatura Española para profesores
de bachillerato" en Barcelona, del uno al cuatro de mayo de
mil novecientos ochenta, en casa de mi concuña Elsa, visité

Montjuich y el barrio Gótico con Isabel Alemán, en casa de cuyos tíos me alojé el primer día. Años antes, en el segundo viaje a la residencia de Empleados del Banco de Vizcaya en Alfaz del Pi con los niños, habíamos visto el Pueblo español, la Font del Cat y el teatro griego, subido al funicular a Montserrat…

En el simposio apoyé una ponencia que propiciaba planificación conjunta del Programa de Historia, Arte, Filosofía, Literatura, dar la misma época; y rebati otra que prescindía del libro de texto y cuestionario oficial, que yo ampliaba con literatura universal y canaria, y eclécticamente aportando a la clase la creación, crítica, la vida.

En la residencia Sagrat Core se alojaba una locutora de radio que me enseñaba sus poemas; por mis comentarios dedujo que yo había escrito de pequeña y me instaba a volver a crear. Y surgió "Compás de espera" (Manresa 1979)

COMPÁS DE ESPERA

Llevaba tantos años

ansiando un futuro mejor, perfecto,

que no me daba cuenta

de que lo perfecto es acabado, finito

muerto,

y que el presente se me desgranaba

entre las prisas.

Hoy me siento plena, segura,

pese al marasmo crítico que me rodea;

demasiado exigente con la felicidad:

para ser feliz yo, tenían que serlo todos;

hoy, - perdón niños hambrientos, pueblos

en guerra, cataclismos (ojos que no

ven) - creo que he llegado a la cima:

mi belleza, mi amor, están en la

cumbre:

casi de niña paso a viejas sin

enterarme; pero he abierto los ojos

justo a punto de despedirme antes del

descenso, un descenso sereno que me

preparara a la comunión Universal, de

donde vine, y entonces quiero

aprovechar, vivir cada segundo

atesorando mi familia, este sol, esta

luz, este día; ¿viviré mañana?:

No confiar la rutina sino gozar cada

presente como único, continuado

regalo, y agradecer, gracias, Dios

mío, la salud, la vida, el latido

irrepetible.

Embaucador futuro, engañosas

ilusiones: no más esperanzas vacías,

indefinibles "lo que has de hacer,

hazlo pronto": ¿Mejorar mi herencia

espiritual?

La Cultura, pesada losa que deforma a

los niños, solo es buena

cuando te enseña a descubrir y

potenciar lo bueno que hay en ti

que es todo, si amas a Dios

y el prójimo como a ti.

"¡Conócete!": Un universo en potencia,

una sombra que se define,

se encarna y desaparece dejando

semilla.

Inauguramos el nuevo edificio en días nublados; cierto día,

mientras cuidaba un examen, veo ante el ventanal el

Montserrat:

Y TÚ, MONTSERRAT

Y tú, Montserrat, te me descubriste

hoy, día claro, imponente en tus

redondas cerdas, electrocardiograma de

la pulsación galáctica,

cepillo que peina las ideas

del insondable azul.

Lima que elija el girar infinito,

rascando el tiempo,

cordillera de peñascos que sierra

el presente hacia el futuro.

En tus crestas esféricas,

órgano musical,

canta el azul,

y en tus alturas;

cerca de su hijo;

se acoge la Mare de Déu;

de esta Catalunya que un día

te dijo:

(Maragall) "Escolta Hispania;

la veu d'un fill…"

Montserrat, como Santiago y

Gernika, como el Teide y la Giralda:

¡Sigue unido con Cibeles en el

destino común de la sangre fecunda

que cantó Darío:

voces separatistas se ciernen por

doquier en una época en que las religiones

se borran en el bien; común; y

las patrias en la Universal, cósmica:

unir, no desangrar;

hombres de buena voluntad,

no partidos ni zancadillas;

Montserrat, enhiesto e imponente…

¡Sigue siendo español!...

… Montserrat calla, impasible,

al paso de los hombres- hormiga que

hacen y deshacen,

que sueñan y yerran

y vuelven a tropezar y a soñar;

y observa, impávido y majestuoso,

mientras sigue cosquilleando

eternidad.

Y al terminar el curso, agotada, con taquicardia, fui al
cardiólogo:

AFIRMAR MIS PIES

… Ahora trato de afirmar mis pies,
 pero como la arena con las olas,
 se me desliza;

no, no me puedo afianzar en un
globo que gira vertiginoso
 en expansión cósmica: mi corazón
 está lejos: al otro lado del mar
 en Canarias: al extremo del universo
 hurgando Verdad.

Y mi cuerpo, mi yo, mi persona, lo
necesita firme, bombeando mi tiempo
acompasado.

Mi corazón me duele porque, tenso al

futuro, ha olvidado los sencillos

momentos presentes… la flor, la

luz, la risa.

Olvida lo eterno: hic et nunc,

aquí y ahora.

En mi informe de fin de curso, como jefa de seminario (*área
de Llengües Ibèriques*), aconsejé:

"Considere la Generalitat que, si el catalán roba

a su hijo la facultad bilingüe, le obligará a

traducir."

Resistí el curso por salvar la oposición, pero solicité traslado

a Canarias y lo obtuve en Arucas, a cuya pensión no pude

llevar a Isabel. Pedí en vano vivienda vacía de maestro —los

licenciados no lo disfrutamos—.

Tenía que coger la guagua de las cuatro de la madrugada al

aeropuerto Sur, vuelo de las seis, guagua Gando–Las

Palmas, otra a Arucas y un taxi al instituto en la montaña,

para llegar a la clase de las ocho. En navidades causé baja

médica por mi columna; la medicación prolongada me causó hepatitis tóxica.

En el concurso de traslado me adelantaron compañeros posteriores, y recurrí en vano. Me llevé el seat seiscientos atravesando plataneras para poder nadar en la residencia de tiempo libre de Santa Brígida —piscina fría en invierno—. Los mayores me decían: "¡Qué voluntad!". ("¡Qué remedio!", pensaba yo). La natación fisioterapéutica prevenía la recaída de mi espalda.

El doce de septiembre de mil novecientos ochenta escribí en alta mar, a bordo del *Ciudad Laguna*, durante la travesía Las Palmas–Tenerife, camino de mi traslado a Arucas.

VERSOS DE AMOR

Las ondas comulgan en mi cabeza
en andanadas de sangre y amor;
el sueño adormece mi cerebro
y el cuerpo se desmaya en
languidez…

mientras, mi mente se resiste,

alerta, a desconectar de la realidad:

deseo descansar, olvidar, reponerme,

fuerza fresca para resolver mi

destino.

En la ventana se confunde

el horizonte gris de cielo y mar:

llueve, y el agua, panta rei,

moja al mundo, mi sueño,

uniforma todo.

Esa luz fría, blanca -¿ donde, sol?-

atraviesa mis ojos cerrados,

hiriendo mi rojo interior;

anegando las compuertas de mi

espíritu, enfriando, anunciando el

blanco - o negro- letal.

Mi corazón, mi pecho suspira,

¡Ni siquiera gime!

En un conforme asentimiento fatal.

¿Duerme? ¿Sueño? ¿Vivo?

Las navidades del año 81-82 escribí a mi padre (en un libro
chino azul) lo que recordaba de mi infantil obra perdida
"La Emiliada", y él me contestó con estos sonetos: "A
Emilita, ante 1982 y ante su libro de penas".-

I

Sueñas con lanzas sin freno
para atacar los molinos
ese es el sueño del bueno
ante los tristes destinos.

Templa tu pulso, sereno,
calma sueños, desatinos,
y, por ti, procura el pleno,
el mejor de los caminos.

¿Los demás? Si tú eres buena,
con tus hijos, por lo menos,

podrá ser la luz que alumbre.

Enseña la vida serena,
que si logras hijos buenos
has alcanzado la cumbre.

II

Como tú, pienso que soy
como yo, pienso que eres;
si yo padre, yo te doy
y es por eso lo que quieres.

Pero el viejo que soy hoy
y que tuvo sus ayeres,
que ahora está donde yo estoy,
ya cambió los pareceres.

Es de ley, el niño, niño,
y es de ley, el viejo, viejo,
cada cosa con su ciencia.

Emy, hija, con cariño,

el buen vino es el añejo,

la verdad es la experiencia.

III

¿Escribir lo que escribiste

a tus viejos 13 años,

cuando tanto ya creciste

en verdades, desengaños…?

Ya no eres la que fuiste,

escribirías amaños,

porque ya te convertiste

te convirtieron los daños.

Porque fuerte te han pegado

yo no te digo cambiar

para buscarte tu paz.

Mas los palos que te han dado

deben hacerte pensar

cómo es esto, dónde estás.

IV

Mas no te cortes el vuelo:

yo por ti, te engañaría,

que si pienso lo que haría

yo, en tu lugar,

yo, seguro, intentaría

despegarme de este suelo

y orientándome hasta el cielo

alto, muy alto, volar.

Miércoles 7 de abril de 1982

Tv: anoche un joven de veinte años nos dio, con su vida,

una lección de humanidad y civismo. Álvaro - foto

agraciado, apuesto- pasaba por una calle madrileña donde se

produjo un incendio; penetró repetidamente en el inmueble

afectado para sacar a varios ancianos hasta que el humo y las

llamas le impidieron salir, y tras apagado el incendio, su

cuerpo apareció carbonizado.

DISTE TODA TU ESPERANZA

Diste toda tu esperanza
 juventud y alegría
 por salvar vidas ancianas
 adelantando tu vida

 Afán generoso el tuyo:
 no calculaste el tiempo
 tuyo largo, de ellos corto
 y ayudaste al impedido

 Una y otra vez entraste
 cual Orfeo a los infiernos
 y sin pensarlo purgaste
 tu gloria por altruismo

 ¿Qué sentiste al consumirte
 por consumar tu heroísmo
 de la vida al despedirte

sin haberla consumido?

Tal vez lamentarás solo
no tener más ocasión
de Ofrendarte por más hombres
cual Jesús en su pasión.

Y como Él abrió puertas
de la gloria a los humanos
tú las abres a los hombres
para sentirnos hermanos

Que tu amor riegue la seca
conciencia adormecida
de esta humanidad deshecha
por los golpes de la vida.
Gracias, descansa en paz.

EL INSTITUTO

En la falda de la montaña,

cuántas veces subí a pie
tu pina cuesta;
primero presurosa, y asfixiada;
luego, aprendiéndolo en tus hijos,
"pian pianito"
- sin prisa y sin pausa,
como la estrella-
cadenciosa y sosegada.

(Al bajar me gustaba contemplar
el Belén de tus montañas
con el central pesebre de tu catedral
que ascendía a medida que bajaban
las montañas con mis pasos,

y llegar al ajedrez blanco y negro
de las ciudadanas aceras,
pájaros y flores en pulcros
muros blancos, la amplia plaza
de soleados bancos desde la que
contemplaba la filigrana cantera,

cromas cristaleras

-3 alojamientos:
Arucas, Las Palmas, Santa Brígida;
mi "600" renqueaba en primera tu
pendiente-)

Al entrar en ti, amplio patrio central
con cuatro esquinas abiertas
en cristal, cuatro verdes paisajes
que oxigenan la vista y el alma:

plataneras, heredades, casas sobrias
campesinas centenarias que en su
calma estática engañan al vertiginoso
girar cósmico: aquí y ahora.

Tus aulas recogidas en el estudio
desparraman la vital juventud,
cinco minutos cada hora en
tus pasillos;

el coloquio en el bar, en la sala

con los compañeros,

en el jardín "mens sana in corpore

sano";

Y al salir -¿el deber cumplido?-,

tu brisa montaraz, mi Teide

enfrente con mis hijos lejanos

y la esperanza del regreso

que, al llegar hoy,

me hace olvidar mi angustia absurda

Y recordar solo

los felices momentos que mañana

recordaré.

(Arucas 3 de junio de 1982): en lista provisional me dieron

el IB. "P. Anchieta" de La Laguna; en la definitiva, martes

13 julio BOE 17, Los Sauces.

Viernes 26 de marzo de 1982

(A bordo del Jet-foil "Princesa Guacimara" Las Palmas-
Tenerife, 15:05 h)

AÚN HAY SITIO PARA LA FLOR

La manía de seguir pensando en todo momento...

¿Cuándo me libraré de ella y seré normal,

como todo el mundo que se limita a vivir sin testimoniarlo?

¿Qué importa a los demás mis vivencias,

a no ser que descubra algo bello o útil?

Escribir con mis obras en el corazón de los que me rodean,

no ideas en un papel que se pierda o queme:

grabar con sonrisas, recuerdos, suspiros,

en el afán diario de un amor eterno.

En plena ciudad, entre el asfalto y el cemento,

aún hay sitio para la flor.

Arucas, martes 30 de marzo de 1982

LA VIDA QUE ME VIVE

Las tiernas yemas

de mis dedos pulgar e índice

sostienen,

apoyado en el corazón —caliente—,

un estilizado bolígrafo

de acero con reloj digital —frío—.

Contemplo absorta el blanco papel,

la "delicada mano silente"

de trémulo latir,

y el prodigio de técnica

que reitera maquinalmente,

con dos puntos,

los segundos: 11:37.

E implacablemente rápidos

aparecen y se borran sesenta veces: 11:38,

y siguen inexorablemente iguales,

mientras mi ánimo queda atrás,

sobrecogido,

asustado de pensar

que mi corazón ha latido sin tregua

cuarenta años

—y nueve meses desde mi concepción—,

y la vida,

que me vive

cuando yo duermo,

sueño,

me distraigo,

sufro,

río

o lloro.

El tiempo eterno,

estático,

extático,

feliz…

El ocio no existe aquí:

el papel sigue blanco,

como mi mente,

que se resiste a pensar,

a sentir,

rezagada,

atrás,

sin querer mirar

los isócromos puntos hipnóticos,

vertiginosos,

que van devorando eternidad,

queriendo desconectar

de ese técnico compás

el rítmico

de mi olvidado corazón.

Miércoles 31 de marzo de 1982

PUNTEAR EL TIEMPO

Hoy, averiado,

los dos puntos saltan antes de borrarse,

y ese parpadeante fallo técnico

aumenta el vértigo de la prisa del tiempo

que no jadea, no se cansa.

Engaña al paisaje: quieto, tranquilo, estático.

De verdes, las montañas,

con blancos caseríos

en el difuminado azul.

Tras la tormenta de ayer,

la calma de hoy,

quieta nube,

leve brisa

que menea el arbusto de primer plano,

y este insistente puntear puntualiza

el engaño de la relatividad.

Nos recuerda que este azul,

estas casas y paisajes calmos,

este examen que cuido ahora,

no somos nada.

Estos alumnos y palabras

en el girar del tiempo-espacio,

en el planeta en expansión universal...

y somos TODO en la eternidad,

cada uno de nosotros.

Captamos la esencia, la apariencia.
 La historia nos enseña
que somos vomitados del pasado
al futuro en un efímero
presente constructivo, realizador,
evocador de nuestra
esencia común.

Estas fincas del sudado cultivo
diario nos engañan del (...)
(inconclusa).

Los fines de semana, en casa, escribía contemplando la
puesta de sol en Pino de oro, o ante la tele, cosiendo,
leyendo, descansando con los míos.

ESTA LUZ

Esta luz poniente con que me despide

nuestro astro rey antes de retirarse

avisándonos en la noche

me hace apreciar su brillo

en el verde laurel,

en mi fleco dorado.

Las manos y el papel

las blancas nubes celestiales,

el mar rizado y añil

que desdibuja su horizonte tras de mí

las blancas casas, tejas,

rojas buganvillas geranios

y alba frangipani perfumada…

Este cromatismo. luz y color.

calor y vida,

se despedirán -" hasta mañana"-

en un renovado milagro

de resurrección cotidiana:

"Párate oh sol, yo te saludo…"
y la enfática imprecación
esproncediana que augura
la muerte galáctica,
roza la romántica melancolía
bequeriana: "Al brillar
un relámpago nacemos…"
(lamenta efímera existencia)
"Y no saber dónde vamos
ni de dónde venimos"
exaspera a Darío.

Oh sol, te vas tras la ladera,
y entonces puedo mirarte al rostro
de tus últimos fulgores;
pero me desplazo, bajo escalera,
y vuelvo a verte
hasta decirte adiós,
y queda tu luz brillante,
y mi vista se nubla;

Y al rodarme,

y ver que no te has ido,

que soy yo quien se queda,

que en avión podría seguir tu curso,

y no anochecería nunca,

considero el necesario

y natural reposo

que precisa nuestra alerta vigilante,

Pues conciencia humana nos anima,

y precisa acomodo

al bioasiento corporal,

este rostro y figura,

persona(" personal", careta transmisora

individuo- especie)

que tanto nos intriga:

conócete,

ama a Dios= vida e ideas.

A mi espalda,

continúa el día en la ciudad,

los blancos y grises edificios;

el mar sigue azul,
la penumbra proyectada
por la montaña Mimosas
cubre mi casa;

La verde ladera es ahora gris
y, en horas, la noche
borrará las cosas:
yo soy la Luz, Verdad y Vida.

RIMANDO

"Mariposa vagarosa…"
Declama la entonación
pero el niño gesticula
con la mano al corazón.

¿Y qué dice, es lo que siente
o lo enseñan a mentir;
pobre histrión inconsciente
como el loro a repetir?

Desarrollar la memoria

admirar a los creadores

¿por qué hacer todo historia

y recortar precursores?

-"¡Qué gracioso, es muy listo!"

aplaude el público oyente

y el éxito imprevisto

le hará un niño repelente.

¡Pobre niño, te han cortado

alas a tu imaginación

y no sientes lo mentado

ni hablas con tu razón!

"¿...de qué Vives en el aire?"

y tu rima que te lleva

a repetir con donaire

el mensaje que no llega

"¿Por qué envidias es el ropaje...?"

y la nana de la canción

(Brazajes, abrir de brazos)

al "Rey de la creación"

"¿De qué alitas necesitas

si no vuelas cual yo vuelo?..."

El capricho consumista

filtra al alma su veneno…

Miércoles 23 de marzo 1983

JUGANDO PALABRAS

Suspiros, recuerdos ,

honduras de ayer,

amores, latidos

invaden mi sien.

El alma, alocada, se asoma a mi ser,

queriendo ser fuente de todo mi bien.

¿Viviste? ¿Has hecho
todo tu poder?
No pude: soñaba
y escapó el querer.

SONATINA

Los amores dulces
de mi fantasía
trocáronse a veces
en melancolía.

El luchar diario
la monotonía
todo mi ideario
lo descomponía

El oído atento
eterna armonía
conectó contento
con su melodía

Y destellos suaves
de su alegría
mis momentos graves
consolar solía.

MAGNIFICIENCIA

"Rey de la Creación", el hombre;
"Esposa de Dios", monjita;
Él era el Príncipe Azul, Jesús,
Jehová; Júpiter llovía oro
sobre mí, su Dánae, fecundando
mi eterno Amor,
Mi platónica ambición Absoluta.
" Comerse el mundo",
tragarse a Dios
acaparar el todo…

¡No!... hoy veo que mi universo
es mi cuerpo

apresando yo,

diminuto y excelso,

mísero y soberano,

materia y espíritu

juntos, no centrifugando mis átomos

a la esencia universal

¡Mi yo! ¡Sí! Quiero ser yo,

olvidar esos mitos

ancestrales, genéticos y vivir

yo, humana y divina, aquí y ahora

allá y siempre.

Que si, que eres tú

bella aún, aunque cansada,

cuando sonríes, alegrando tu amargura.

tú, cuyos padres aún conservas:

míralos, dile que los amas,

agradece su amor

y los hermanos que te dieron

¡Sagrada Familia!

luego el novio idolatrado

esposo que te ha amado "a su manera"

al que consagraste tu amor ideal

Diste vida a cinco hermosos hijos

buenos y sigues soñando perfectos

caminos… cantar…

Sábado 1 de octubre 1983

El arte es algo sutil, caprichoso, que te visita con su
inspiración, y debes seguirlo rápida e incondicionalmente.
Si desprecias el momento de su gracia —aunque sea
queriendo perfeccionarte para merecerla—, despreciará tu
soberbio deseo de sublimación: la suya le sobra.
Amóldate tú a él. Deja el sueño, el trabajo o la diversión y
corre a escribir cuando su ingenio roza tu mente. No
intentes retenerlo, y menos acoplarlo a tu deseo o
circunstancia, pues no se doblega a tu ocasión propicia: no
se rebaja a ser trabajo o profesión.
Por eso yo nunca me consideraría escritora. Hay escribientes
que transcriben las palabras cotidianas; pero el sagrado arte
del verbo, el *poieín*, es un carisma no permanente, una gracia

excepcional que te hace, en ese momento, poeta: que
ilumina tu ingenio impulsándote a obrar.

DE LAS SOMBRAS

De las sombras, del arcano,
 del abismo inmemorial,
 surge la chispa, la mano
 que te guía emocional.

 El talento, el sentimiento,
 ese signo original
 doblegado al pensamiento
 crea un cauce virginal.

 Y el lenguaje, y el sonido
 hermanados por igual
 idea y palabra ha unido
 para bien o para mal.

AMOR EN PUNTILLAS

"Romeo y Julieta", Ballet
Shakespeare y Nureyev
Arte en música y danza
Oído y vista al alma avanza.

Imagen televisada
sonido estéreo grabado
técnica que a nuestra sala
el teatro ha trasvasado.

Y sin palabras, en las puntas
de los pies y de las manos
con el gesto nos apuntas
los sentimientos humanos.

Estilizada e ingrávida
inquieta en sus volteretas
nos narra casi impávida
su gran tragedia Julieta.

Romeo, antes mujeriego

prendado queda de amor

de su rival Capuleto

secreto esposo amador.

Y rehuye el embate

de su hermano enemigo

pero loco le combate

cuando mata a su amigo.

Desterrado, y obligada

por sus padres a casar,

Julieta evita la boda

con la ayuda del abad.

Ingiere muerte engañosa

porque su amado Romeo

la rescate de la losa;

pero él bebe el veneno.

Despierta tarde Julieta

y al ver muerto a su Romeo

se apuñala, que es su meta

morir junto a su deseo.

La desgracia reconcilia

Montescos y Capuletos

y el triunfo maravilla

de AMOR después de ser muertos.

18 de enero de 1986

EL AMOR DEL CONFÍN

El ansia exultante de decirlo,

  de hablarlo, de sentirlo, el deseo

  de ver lo divino que me exalte

  al instante perenne de la dicha.

El no ser y el pensar portando

  un cuerpo, que me sigue y a veces

  me persigue; el plasmar "aquí estoy,

  soy": ¿ y qué soy, dónde vengo y voy?

Esa mente que me inunda y me reclama,

ese cuerpo que a veces solo, llama,

esos hijos y padres que preocupan

ese esposo que enamora y esclaviza

ese mundo que exige y tiraniza

y ese yo que se aliena y que se afirma

Siempre tenso, suspirando, lanzado

al eterno torbellino del Universo sin fin

y asiéndose al Amor del confín.

Deseos inefables, inconcretos…

supongo que he obrado en mi conciencia

las ideas y prejuicios que me han hecho

los valores que he alzado en mi destino

Yo gustaba soñar un altar de misión

ser feliz, para mí universal:

¿solución? el amor, elevar a los demás

en ofrenda de paz perennal.

Pero el sueño, en sueño se tornó

el cansancio desengaño aportó…

(inconclusa)

CUENTO - SUN LI

Sun Li era un muchacho soñador, noble, idealista. Su madre había sido una mujer tranquila que le había enseñado el mundo con serenidad y respeto a la creación.

Él amaba los paisajes calmos, las gentes felices, los animales en paz. Jugaba solo, y cuando lo hacía en grupo, solía sufrir si sus amigos no respetaban las normas.

De pequeño, contemplaba el firmamento y sorprendía en los puntos vacíos millones de estrellas; un día vio en un microscopio galaxias y estrellas fugaces: podía ser parte de un niño cósmico y albergar niños atómicos.

Su optimismo no quería imaginar que la muerte nos rompiese. Estudiaba con ánimo de saber la verdad, deseaba dar al mundo ese Bien que tanto anhelaba, y soñaba convertir todo al orden y armonía universal.

El hacer tanto por todos…

Un día lo llamaron a filas, arrancándolo de su personalidad única y de su familia e ideas. Le pusieron un fusil en la mano y le mandaron matar al hermano que se le pusiera delante. Ante él, Sun Li consideró el universo eterno e infinito, con su fugaz vida en el planeta, y su carrera, y sus deseos de hacer siempre algo por el hermano. Sonrió, quiso tirar el fusil y abrazarlo, pero una ráfaga de plomo le aplastó quemando el pecho, y su sonrisa quedó helada y sus abiertos ojos asombrados, fijos en el más allá.

—¿Es posible? ¿No me dejaron amar ni hacer el bien?

Yo, que tanto amé la vida y el amor, he sido odiado y muerto sin saberlo.

No encontré mi alma gemela… ¿dónde estás, corazón?

Ya no nos podremos amar en el infinito…

Elena era una muchachita feliz, criada entre sus hermanos en una limpia familia. Bella y rubia, sus hermosos ojos azules querían contener el universo, amar todo.

En su mente bullían ideas y sentimientos que decía ante el espejo, viendo en su imagen a toda la humanidad. Sin saber

por dónde empezar su acción, la contaría al papel: escribía
sus deseos anhelando influir en la gente, cambiar su actitud.

No tenía la culpa de vivir en una época imperfecta, y
deseaba que las jóvenes fuesen nobles y sinceras como ella
—no *snobs*, drogadas, tarando su persona y descendencia—,
mujer base familiar; que los hombres fuesen más hombres y
soltaran el yugo impuesto, y descubriesen ser iguales,
mirando juntos un futuro y una labor común.

El progreso les liberaría de las rutinas domésticas o fabriles,
supliendo la máquina la mano humana para dejar trabajar su
mente y su espíritu; despertar a la vida eterna, nivelar los
pueblos y culturas, cambiando la energía bélica por
constructiva y los servicios y academias militares por
misiones de progreso.

¡Había tanto por hacer, para que los jóvenes no se aburran!
Y aún realizando esto, no perder de vista su origen y fin
eterno: la máquina se iría simplificando a la par que el
espíritu desarrollando, hasta poseer el infinito.

Estudió, y la suspendían por "personal". Se casó con un
marido que condicionó a los hijos a su rica comodidad.

Ella, que soñaba —cual otra Genoveva de Brabante—
criarlos ricos de alma en plena naturaleza, en el propio

contentamiento y validez, bregaba con el servicio mientras soñaba en la igualdad humana, en la buena voluntad.

Y su vida transcurría en paradoja ideal-acción, burladas sus ideas por su marido, mientras ella soñaba dónde se hallaría su alma gemela.

Su horóscopo "julio-esperanza" la irritaba: ella quería acción aquí y ahora, antes de morir. Aunque quedaba el futuro, sus hijos quizá lo realizarían.

Pero su obra… y su amor… ¿dónde estás, corazón?

¿En el infinito?

A mi apetente hija Isabel entreteniéndola mientras comía le contaba cuentos ecológicos:

LA ARVEJITA MARUJITA

Había una vez una arvejita que nació en el campo, rodeada de una llanura verde, con unas montañas alrededor y, enfrente un mar azul precioso.

Cuando creció bastante, llegó un día el Señor que la regaba y la cortó de su tallo. La desprendió de su vaina, donde estaba con sus hermanitas, y la envasaron en un paquete muy bonito, que pusieron en un súper al que iba mucha gente.

—¿Quién me llevará a mí? —se preguntaba ilusionada—. ¿Será ese señor tan elegante que viene al estante?

Oh, no… ha cogido el paquete de al lado.

¿A ver esta señora gordita? Tampoco: ha cogido el de arriba.

Aquí viene un niño… ¡Ay, no llega hasta mí! Cogió el de abajo.

¿Será posible que no me lleve nadie?

Entonces llegó una niña preciosa de ojos azules, con una empleada que la llevaba de la mano.

—Ojalá me cogiera esa niña tan bonita… —pensó la arvejita Marujita.

Y así fue, porque la empleada cogió su paquete y lo metió en la cesta con fruta, carne, verdura, mantequilla, yogur y chocolate.

Al llegar a la casa, la preparó con una fritura muy rica y unas papitas fritas y ruedas de huevo duro.

La mamá de la niña se sentó con ella para darle de comer. Tomó un poquito de sopa, jamón, y cuando fue a darle el platito de arvejas, empezó a decir la niña:

—Ya no quiero más.

—Un poquito más —le decía la mamá—, que te puse poquito.

La arvejita Marujita estaba asustadísima.

"¿Será posible que me tiren a la basura? Yo que quiero que me coma esta niña tan linda para seguir viviendo en ella y viendo el mar, el sol, el campo, con las flores y las mariposas…"

—Bueno —decía la niña—, tres cucharaditas más, pero nada más.

La mamá cogió una cuchara, y la arvejita Marujita vio que no entraba en ella.

La segunda la pasó rozando, y a la tercera la cogió, pero se derramó al plato otra vez.

"Ay, Dios mío —pensaba—, ¡no me tires a la basura! Yo quiero vivir en esta niña tan linda."

Entonces la niña dijo:

—Ya están las tres cucharas, más no.

Pero su mamá le dijo:

—Pobrecita, ¿vas a dejar a esta aquí solita?

La arvejita Marujita estaba temblando.

"Quiero ir contigo, vivir en ti, no a la basura", pensó con todo su corazón.

Y como si la hubiera oído, la niña dijo:

—Bueno, venga… se acabó.

Y la arvejita Marujita se quedó muy contenta viviendo en aquella niña tan bonita.

Y colorín...

LA NIÑA POBRE Y LA NIÑA RICA

Había una vez una niña muy rica que vivía en una casa muy grande y bonita, con un hermoso jardín. Tenía muchos vestidos y juguetes de todas clases.

En Navidades, cuando escribió la carta a los Reyes, pidió muchísimas cosas:

quería una casita de muñecas grandísima, con una cocinita con calderitos y juegos de té, y camitas y ropitas de muñeca, y bicicletas, y patines, y una lancha neumática, y…

—Pero nena, si tú ya tienes todo eso —le decía su mamá.

—No importa, quiero más y más.

—Pero hay que repartir con todos los niños.

—¿Y a mí qué? Yo pido lo mío. Quiero todo para mí.

Al lado de esta niña vivía otra muy pobre, en una casita pequeñita, pero muy limpia. Era muy buena: ayudaba a su mamá y luego salía a jugar al bosque con los pajaritos, que la conocían y saludaban cantando, junto con la brisa y las olas del mar.

Se ponía en la orilla y decía:

—¡Hola, ola! ¿No me coges?

Y se echaba a correr riendo cuando el agua subía. Cuando aprendió a nadar, flotaba feliz en el océano de la vida.

Ella no escribió carta, sino que dijo al cielo estrellado:

"Queridos Reyes Magos, dichosos vosotros

que visteis al Niño Jesús.

Yo no os pido nada, pues no necesito juguetes,

porque juego con el sol, el mar, los pájaros y las

olas.

Solo os pido salud para mi madre y para mí,

para daros gracias por la vida tan bonita,

y paz y alegría para todo el mundo.

Lo que sí me gustaría es tener una amiga con
la que poder jugar y hablar."

Entonces llegaron los Reyes Magos.

Cuando leyeron la carta de la niña rica, dijeron:

—Menuda egoísta, a esta solo le dejaremos carbón.

Y le pusieron una nota que decía:

"Si quieres jugar, pregúntale a la niña de al lado
si te deja con los juguetes que le hemos puesto
a ella."

Cuando la niña rica se levantó, dijo:

—Voy a buscar todos los juguetes que pedí.

Y cuando vio que no había nada, se echó a llorar.

Su madre le dijo:

—Claro, nena, es que no se puede ser tan egoísta. Tienes tu
cuarto lleno de juguetes.

—Pero yo quería otros nuevos —protestó.

Cuando la niña pobre se levantó, dijo:

—Voy a salir a jugar con la nieve. Me abrigaré.

Entonces vio un montón de juguetes preciosos.

—¡Mamá, ven, mira! Los Reyes deben haberse equivocado.
Me han dejado todo esto,

y yo no pedía sino salud para las dos y paz para el mundo.

Ah… y una amiguita.

En ese momento tocaron a la puerta.

Era la niña rica, que había leído la nota.

—¿Me dejas jugar contigo? A mí no me han dejado nada los Reyes.

—No importa —le dijo la niña pobre—, yo te los presto todos.

Lo que yo quería era una amiguita, porque no necesito juguetes.

Yo juego sola.

—¿Cómo? ¿Con qué?

—Con la nieve, el sol, el viento, el mar, los pajaritos… ¡Es muy divertido! Te enseñaré.

Aunque hoy podemos usar estos regalos tan bonitos jugando a las casitas juntas.

Y se fueron muy contentas.

Se hicieron muy amigas.

Y colorín, colorado, este cuento se ha acabado.

DEL ALMA Y EL TIEMPO

I. LOS DESTIERROS

Mi hija Emi, entonces quinceañera, de esplendorosa melena
rubia y alegres ojos azules (- ¡qué guapa, qué guapa! -, la
abrazaba tía Rocío, esponjándole el pelo) me llevó de
Tenerife los impresos de traslado, agotados en Las Palmas,
al Instituto Domingo Rivero, autor del soneto *Yo a mi cuerpo,
¿por qué no te he de amar, cuerpo en que vivo?*, cuyo final
impresionó a Unamuno: *"En ti hice mía mi cruz, mi parte en el
dolor humano."*
—Señorita, tráigala aquí —me decían en cada aula—.
 Parecía una estrella de cine. Y escribió los sonetos de
Góngora y Quevedo en las pizarras de tres segundos.
—¿Cómo resistes, mami? —me preguntaba.
Tras devorar la carretera y saltarme un policía que no quería
dejarme pasar, dije:
—Ya es la una, lo siento. Llevo dos años destinada fuera de
casa y, por un minuto, no voy a quedarme otro año más.
—Y ocho también.

Enseñé la documentación a un inspector, que me aseguró tener preferencia si solicitaba la provincia completa, dándome los códigos de las islas menores.

—¿Está usted seguro? Para quedar mar por medio continúo aquí sin perder la puntuación de permanencia ininterrumpida: 3,5 por año.

Prefería gastar el sueldo en *Jet Foil* que en médico si recaía mi columna.

—Sí, por eso te adelantaron el 56 y el 61.

Yo era el 51 de mi oposición.

Y cuando me iba, bromeé:

—A ver si me voy a quedar colgada. Ella es testigo —dije señalando a Emi—.

—Es parte interesada y no cuenta.

Efectivamente, perdí los siete puntos para ir más lejos: a Los Sauces. En el norte de La Palma, zigzagueante carretera en antediluvianas guaguas que hacían preguntar a turistas al chofer:

—¿Los Sauces?

—Todavía no —respondía cada quince minutos durante las dos horas que duraba el trayecto. En el mapa, parecía cerca.

Pero además me adelantaron los números 52 y 53, por lo que fui al Ministerio, en Madrid, con mis cuñados Mercedes y Diego. Allí me preguntaron:

—¿Por qué no se asesoró con alguien cualificado antes de añadir las islas menores?

—Yo suponía que un inspector de la casa lo estaba —respondí.

Y vuelta a coger aviones de Los Rodeos o Sur–Reina Sofía para La Palma.

Desde los carnavales me dejaron cuidando la biblioteca del Instituto de Bachillerato San Benito, a la espera de firmar mi recurso. Con el cambio de gobierno, un director general prefirió que resolviese el otro.

Y nada.

La directora palmera me adelantó.

—Gracias a que perdiste los puntos de Arucas.

—¡Vaya gracia!

Al curso siguiente me reincorporé, con el agravante de tener que atravesar la peligrosa carretera bloqueada por obras.

Cuando la orquesta de cámara actuó en la iglesia, vine con Isa en su guagua, que para con otra que viene de frente.

—¿Qué hora es? —preguntó un conductor al otro.

—Las doce —contestó con la suave cachaza del cantor acento palmero.

—Pues llevas las luces encendidas.

Los de la orquesta rieron el típico golpe de humor.

Yo prefería los *Junkers* anticuados y pequeños, pues los *Boeing* me parecían a punto de salirse de la corta pista. Y eso que a mí me gustaba volar en avioneta con Rifia: en el aterrizaje pensaba "frena ya", y en el despegue, "arriba, sube", y contaba hasta diez, segura.

Casi más peligroso era pasar por la obra: barrancos verticales, inmensos precipicios que, con las lluvias, desriscaban el terreno y había que poner una madera para pasar la rueda externa sobre el abismo.

O al pasar por la desviación del basurero de la costa: esperar entre una ola y otra… "¡Ahora!", y pasar rápido.

Cuando volví, en la Bajada de la Virgen, en plan turismo, apreciamos las bellezas de la isla bonita: "la isla corazón, que envía a sus emigrantes en diástole, pero regresan a ella en sístole" -como dijo una alumna en clase.

"La Caldera, Los Tilos, el Charco Azul…" —al cual bajaba a nadar con mis compañeros peninsulares que iban a pescar.

El segundo año me ambienté con las inglesas —tres jóvenes profesoras de *English*. Una queimada en Bajamar. Recuerdo bajar una calle de escalones con un profesor madrileño en un Citroën último modelo, ante los grititos de una próxima jubilada:

—No importa si se rompe —decía él—. Vendemos las tierras de Cuenca y compramos otro.

Ese año lo aproveché para hacer mi tesis: cinco puntos.

Y al siguiente obtuve comisión de servicios durante dos en Tacoronte, pero perdí catorce más para alejarme de nuevo, en 1986, a Granadilla, colándome por segunda vez al número 52 de mi oposición, al Instituto del Barrio de la Alegría, cercano a mi casa.

Y este año, al 53, a Santa Cruz, por lo que hoy volví a incoar recursos. Clamé al cielo… y no me oyó.

Cuando subía de casa de doña Pepa al instituto, me extasiaba ante el barranco del Agua, cuya brisa me recordaba las excursiones infantiles a Las Breñitas o escuchar, en La Caldera, la voz de un pastor que ni se veía en su fondo desde arriba.

BRUMA Y REGRESO

La bruma algodonosa recubre tus montañas
en la fría mañana
que hiende con sus rayos
las crestas arboladas de tus perfiles altos,
mientras subo a mis clases cotidianas.

La pina cuesta hace que mis pulmones
pasen a acompasar el latido,
contemplando el fondo del barranco,
pared de verdes cuevas,
terrazas cultivadas,
vertical lucha con el llano.

Y miro hacia atrás,
y sube
el mar de fondo,
y bajo el sol,
mi Teide radiante horizonte,
con La Gomera hermana a su derecha,

y pienso,

Hierro mi apellido aspirado al fondo.

Recuerdo entonces,

al salir de Arucas,

mi Teide a la derecha.

¿Me acerco o alejo?

Las provincias, islas, región, nación…

¿Quién las divide?

¿Quién separa padres de hijos,

del hogar la entraña?

Aspiro el perfume montaraz, bravío, atlante,

mientras oigo del fondo

el cantor acento de los hijos de esta tierra,

que pierde con el viento la cepa de su plátano

y oculta su lamento.

"Dios me lo dio, quitó",

sin exigir al estamento nacional

ningún aliento para su sustento.

El sufrido canario,

estoico, noble, educado,

en el campo, en la ciudad,

politizado, fiero,

zancadilla, inhumano.

No olvido:

"el que no tiene hijos,

tiene perro, o gato,

"pan – caviar".

Y me duele en el alma

este injusto destierro de mi hogar.

Pero amante de la natural evolución,

huyo la revolución

y espero que la buena voluntad

imponga su ley y su razón.

Mientras, Palma mía,

no quiero ligar tu paisaje a mi agonía.

Recuerdo mis infantiles excursiones felices,

y me inundo en tu mar de pletórica salud,

que anegue mi interior de luz.

Siento no tener fuerzas

para cantar tu belleza, tu paz.

Recuerdo la merienda en Las Breñitas,

mis tíos y mi casa de Santo Domingo,

hoy en ruinas.

Y deseo fortuna

para edificar un pasado que se fue,

un presente que tantea,

y un futuro que es mi cruz.

II. VIAJES, DOCENCIA Y VOCACIÓN

Los dos años que pasé en Tacoronte fueron un bálsamo.
Allí conocí a María Rosa Pola, asturiana, casada con un

músico, que nos regaló a Ícaro, un perrito que Isa idolatraba. Tuve que devolverlo a las quince noches sin dormir, extenuada, pues no aprendía a callar. Le calentaba leche, le ponía botellas de agua en su cesta, lo dormía acariciándolo... y vuelta a llorar cuando subía al dormitorio. De día se metía en su cesta o dormía a mis pies, pero cuando me desenterró el anturio de mi madre por tercera vez, se acabó. Lo devolví entre los llantos de Isa, que había sido la niña más feliz del mundo mientras lo tuvo. Adoraba a los animales: hablaba con los canarios —Cuchi y Sacha— y con el pez Penny.

En Tacoronte era jefa de seminario. Colaboré en el tribunal del primer premio de narrativa del Ayuntamiento y me dieron la medalla de la ciudad. En las horas libres bajaba a la plaza de la iglesia a escribir, contemplando el fastuoso, majestuoso Padre Teide: *menhir de nuestra historia, salud y corazón*, "Madre Nivaria", diría Gil Roldán.

Pero no me inspiraba, quizás porque era feliz. Mi vena poética se expresaba en la adversidad, como Fray Luis o Cervantes en la cárcel. No andaba errado el Nobel al premiar obra hecha, pues la molicie corrompe, aunque deseemos ocioso bienestar.

Contemplo el Valle de Acentejo, nombre que dimos a la revista del centro, en la que colaboraron alumnos poetas. Desde la playa de Punta del Hidalgo hasta la acantilada Mesa del Mar, o la costa del Puerto de la Cruz, tras el Valle de La Orotava —o fosa tectónica, como especificó en excursión de Preu Leóncio Afonso—: alma azulada de mar y cielo, verde esperanza, infinita paz en el campo. Hic et nunc.

En nuestro gremio se da un alto porcentaje de desequilibrio psíquico, y no es de extrañar, porque la vocación de enseñar entraña responsabilizarse de todos y cada uno de los alumnos. Es una gran tensión —como la que Darío carga sobre el poeta—: escrutar la existencia.

El sueldo es escaso. Yo vivía bien, en el 74, de PNN, con treinta mil pesetas. Incluso viajé tres veces a la Península con mis hijos. Ahora creía que era "mi caso": imputaba a la bola de nieve de mis ocho años, desterrada con doble alojamiento, cinco hijos en casa con mi esposo. Viajaba semanalmente, enferma de la columna, y el sueldo hipotecado en la casa. Pero mis compañeros decían que no llegaban a fin de mes con las ciento cuarenta mil actuales. Y encima, ni adrede el ministerio destinaría peor a los docentes. Somos personas, no fichas de un tablero subordinado a una computadora: la máquina al servicio del hombre, y no al revés.

Digo esto porque se acercaba el concurso de traslados y corrían bulos: que se acababan las comisiones de servicio. Yo sólo había pedido Santa Cruz, La Laguna, y añadí hasta La Orotava por el norte y Güímar por el sur. El último día incluí Icod y Granadilla.

Pero el traumatólogo me dijo que sería una locura agravar mi espalda con carretera diaria: no resistiría una semana. Así que fui a la Dirección de Personal en Las Palmas para renunciar al traslado. ¡Granadilla que te pego!

Ese verano hice un curso intensivo en London School, que dejé porque fumaban. Lo hice para ir en diciembre como corresponsal de la AIG (Asociación Internacional de Galdosistas) a la Convención Anual de la MLA (Modern Language of America), en Nueva York.

Mientras tanto, no perdí un cursillo o congreso: el Internacional Galdosiano o el de Escritores de Lengua Española, donde conocí a Gala —autógrafo "A Emilia F." con mi esperanza en ella—.

Al decirle que había callado desde los trece años, silencio

enriquecedor… o ahogante. Me pasé.

(A Abel Poss no le permitía hablar mal de España. Me cayó

mal que S. Drago se declarase apátrida. Yo soy ciudadana

universal sin renegar de España. Me enaltece).

A S. Badila, a S. de Medrano y esposa, a Arturo Azuela, con

quien almorcé agradablemente en el Náutico y que me ha

invitado al Congreso Iberoamericano de México el próximo

agosto.

Al regreso del Sexto Simposio en Cáceres (precioso

Salamanca y Trujillo) donde se acordó celebrar el séptimo

en Tenerife, y se lo zancadillearon a Castellanos.

Me invitó a Sevilla Carmen Siles, que me la mostró con tal

amena erudición —profesora de Literatura e Historia—,

que yo, que nado y no camino, aprecié la longitud del

trayecto al regresar en taxi: La Sierpe vacía por el Rocío.

Cruzar el charco a Norteamérica no me emocionaba mucho.

Hubiera preferido conocer Europa. Solo crucé la frontera

con el simposio de Barcelona del 80 para visitar la tumba de

Machado en Colliure.

—Garçon. Une limonade.

—*De la citronade?*

—Ah, yes… pardón, oui.

En teoría sabíamos más que el francés medio de la calle:
cómo evolucionaba la palabra desde el latín, de Grecia o
Italia. Enviaron postales mis compañeras Chila y Laura en
su viaje fin de carrera. Yo gestando a Emi.

Mi hijo Rafa fue dos veces con los *scouts*.

De todas formas, cuando llegué a Nueva York, bajé decidida
del avión (como en mi estreno en Madrid en el 68, que los
pasajeros me siguieron) y tomé un microbús al Sheraton, en
la Quinta Avenida.

Como las sesiones de Galdós serían en español, no me
esforcé mucho en aprender inglés. Resabios del rechazo de
Enrique VIII a Catalina de España: todo un pueblo cambió
de religión por repudiarla. En cambio, Jorge abdicó por
Wallis Simpson.

Y en la boda de Carlos y Diana, abrazo de obispos… pero
pie en Gibraltar.

Cuando desde la habitación quise llamar a Tenerife, la
telefonista rápidamente se ofreció:

—*What can I help you?*

—*I need someone who speaks Spanish, please.*

Y gracias a Dios, a pesar del monolingüismo de Reagan, España estaba de moda en EE. UU. y todo el mundo hablaba español. En la aduana me atendieron un policía negro, uno indio y uno chino: tres razas, y los tres lo dominaban.

Los tres días de la Convención del 86, sesiones desde las 7 de la mañana hasta las 10 de la noche, ni me movía del hotel.

Cuando cruzaba a la croissantería "—*Next, next*" y la cola pasaba pidiendo rápidamente, yo señalaba al que quería y al microondas: "*this hot*", y "*how much*", y me defendía. Estaba el cielo azul. "Trajiste el clima contigo."

Apenas cruzaba a las sesiones de inglés en el Marriot Marquis, donde me fotografié con Allen Ginsberg. Cuando leí mi informe —carpeta resumida la víspera en tres hojas con membretes del hotel— me ofrecieron clases en la Universidad de Indianápolis.

-¡Qué va! Lucho por 70 kilómetros en Tenerife…

Había solicitado el acceso a titular en La Laguna, que se le dio a un interino, y la de interino al PNN, sin dejarme leer la lección magistral. Rechazaron mi proyecto docente. Nadie

es profeta en su tierra.

Allí estaba Rodolfo Cardona, fundador de *Anales Galdosianos*,

y su actual Dr. John W. Kronick, editor de la *PMLA*.

Harriet S. Turner, presidenta de AIG, a los que había

conocido en el Congreso de Las Palmas, con Sebastián de la

Nuez y A. Armas Ayala, Y. Arencibia, Isabel G. Bolta, y a

Yndurain, Casalduero, J.P. Vidal, R. Guillón, J.L. Pinillos,

Tuñón de Lara, A. F. Stein, A. Zwigilvski, Masae Kochiwa,

Robert Kirsner, C.N. Robin, Boudreau...

Al irse todos el día 30, pasé de la actividad a la soledad,

rodeada de gente desconocida.

El 31 de diciembre me engalané y bajé al hall, con sus

cristaleras abiertas al bullicio de la calle, pero sin su frío. Una

joven pianista cantaba, y pedí un *orange juice*. Lo tomé dos

veces. A la tercera me despedí y subí, pensando:

En Canarias ya dieron las doce hace siete horas. ¡Feliz Año Nuevo!

Y me dormí.

Desperté con los voladores de la calle, donde gritaban:

—Happy New Year to everybody!

—Gracias, igualmente —musité, y seguí durmiendo.

Al día siguiente paseé por un Nueva York solitario hasta la Plaza Rockefeller. Pedía a los transeúntes que me tomaran fotos con mi cámara. Vi una iglesia con un Belén. Intenté comprar un aerógrafo para Juan por la Quinta y la Séptima Avenida, pero retrocedí.

¡Milagro! Un rayo de sol se colaba entre dos rascacielos. Llamé a los amigos de mis amigos, y estaban en las Bahamas. Y solo vi, el día que regresaba, un cielo nublado y aguanieve.

La exposición de Van Gogh en el Metropolitan fue mi único consuelo, porque el taxista colombiano que me llevó al aeropuerto intentó mostrarme una vista de Nueva York desde un puente… y no se veía a un metro por la niebla.

¡Ni vi la Libertad!

En Tenerife había causado baja médica por el trayecto diario a Granadilla. Alternábamos los coches en el cementerio y tomábamos café en el Calvario. ¡Qué cruz!

Aproveché para preparar el fallido acceso a La Laguna el 25 de mayo, cumpleaños de mi madre, madrina de mi hijo Rafa, que hizo su primera comunión ese día, a sus siete añitos. Luego me reincorporé a Granadilla, registrando la biblioteca de su seminario de Literatura: dos prohibiciones para mi espalda, el trayecto diario y el agacharme levantando el peso de los libros de todos sus estantes.

Integré el Tribunal de Agregados ese verano, y como en el Festival de Eurovisión, "salieron" algunos opositores que no me gustaron y "quedaron atrás"; otros que sí. Terminé agotada. Y ese curso se me concedió comisión de servicios en el Instituto de Bachillerato "Militar" de La Cuesta, que normalmente se hubiera prolongado seis años, pero bastó que entrara yo para que saquen las plazas a traslado el próximo año.

En las navidades del 87 volví a la Convención MLA, esta vez en San Francisco. Llegué el 26 de diciembre, tras conectar en Nueva York. El poli negro al que expliqué que me permitían adelantar la cola de aduana para conectar mi inmediato vuelo me dijo lacónicamente:

—*Go back.*

—*I will miss my next flight to San Francisco.*

—*Go back.*

Y un italiano dijo que yo iba con él.

Llegué de noche al Ramada Renaissance, sede de las sesiones *Foreign Language*, entre ellas español. Compartí, como el año anterior, la habitación con Harriet Turner, que esta vez llevó a su hija Sarah.

Al día siguiente bajé a desayunar al *Veranda* y salí a dar una vuelta con el primaveral atuendo que llevaba. Me habían asegurado que el clima de la soleada California era como el canario: una blanca blusa de listas rojas y amplia falda azul de mi hija Eva. Menos mal que llevaba una ligera zamarra de cuero y guantes, pues deseché subir para cambiar a pantalón, suéter y bufanda por no perder el puesto cuando me vi en la cola del inicio del tranvía, donde lo giraban en una plataforma circular de madera empujando con los hombros.

La ida fue emocionante. Disfruté el paisaje de las ajardinadas calles lombardas, las pendientes, aunque no "pescaba" por qué reía la gente con las bromas del conductor, hasta el final del trayecto. En el puerto del Golden Gate subí al barco velero y al de rueda.

Vi una gaviota a la que hablé:

"Hola, vengo de Canarias, en el Atlántico."

Me recordaba a la de *Richard Bach* o a la comunión universal del *Principito* de Saint-Exupéry, o al cuento de mi hija Emi. Entonces se me ocurrió bajar a tocar el Pacífico y coger su dorada arena. Isabel siempre me pide una piedra de recuerdo de mis viajes. Esta sería pulverizada. Me quité el guante para ver la temperatura del agua. En Canarias nado todo el año gracias al *Gulf Stream*, pero una ola tonta del pacífico Pacífico me mojó el pie derecho, que creí que se me gangrenaba mientras esperaba el tranvía de regreso, lloviendo.

Cambió el tiempo. Una ola de frío que, al regresar desde Los Ángeles, cubría el país: "Esto será Colorado, esto debe ser Nevada", pensaba, viendo el blanco helado hasta Nueva York.

El 29 tuve la suerte de conocer a Mirtha A. González, que, con su esposo, me invitó a pasar los tres días que esperaba el avión de regreso —como el año anterior, mitad de tarifa, mínimo una semana— en su casa de San Gabriel, Los Ángeles.

Seis horas en su *Le Baron*. Parada para almorzar en un rancho con una pareja policial: ella llevaba un pistolón. *Ley seca* o prohibición de fumar, pero libertad de armas en algunos estados. Allí conocí a su madre Rosa, cubana, con el mismo acento canario, y a sus hijos Alfie y Gabe. Me sentí como en casa.

Amablemente me llevaron a cambiar el pasaje y a comprar ropa en un *Shopping Center*. Yo compro para mis hijos, no para mí. Me regala Rafael:

"Este traje y blusa te esperaban. Hechos para ti."

Cenamos el 31 con sus compañeros, profesores. Me ofrecieron la Universidad de Los Ángeles. Otro matrimonio, como ella, mexicano-cubano. Bailamos corridos, cumbias, habaneras.

¡Menudo desconsuelo cuando fui a revelar el rollo que supuse me habían insertado en el hotel de San Francisco y estaba vacía la cámara! Ellos, que me habían llevado al letrero de Hollywood, encuadramos los rincones de su casa: piano, piscina, jardín.

Al llevarme al aeropuerto, un crepúsculo matutino tras las palmeras: precioso. En la tele, la 99ª *Parada de la Rosa*, con Gregory Peck. Las enchiladas en el porche de unos amigos. Como cuando relegas al papel una nota: la retina no impresiona en la mente lo que capta o roba la foto. Y di atrás a la moviola del recuerdo, rememorando gratas vivencias.

Este año, si Dios quiere, Rifia me acompañará a la tercera Convención MLA de Nueva Orleans, del 27 al 30 de diciembre, que asistiré y celebraremos en Miami, juntos, nuestro aniversario de boda, el 2 de enero, retrasados los dos últimos años a mi llegada de USA el día 3.

III. FAMILIA

Salí directa del casino al aeropuerto para la convención de
86 de Nueva York, tras presentar, en sociedad, con mi hijo
Rafa a Elena —aunque ya en la bajada de la Virgen habían
ido de gala al Náutico—, llevaba el mismo vestido que Emi
cuatro años antes con Javi: lo conocí en su quinceañera
fiesta. ("ni mayores ni menores: en mi época había común
regocijo sin edad). Primer niño de la pandilla de su prima
Mavita. (Entre vaqueros, impactaron sus femeninas faldas,
recurso de los volantes de moda tras "Xanadu").
Hasta entonces Emi había salido con nosotros desde el
"moisés" los domingos a comer fuera, huyendo de la
rutinaria cocina. Al estudiar Bellas Artes, noviazgo con
Ramiro, de un curso superior.
Elena se identifica con un grupo teatral. La vemos actuar, y
al padre se le quema el cigarrillo en la mano, embelesado por
la fuerza del mensaje de su danza, tan inspirada, que el
profesor de ballet se lanzó a llevarla en improvisado
acompañamiento.
Resulta bellísima en su estilizada falda negra de tules,
nimbando su ondulado cabello, con la maquillada línea

vertical que acentuaba la pureza de sus ojos verdes. Aprobó COU y cree hará Bellas Artes.

Facundo, cuando le captó en *Encuentros* un escorzo en la playa, dijo: "La pones con un profesor de dibujo y color y, en un mes, pinta mejor que yo". Le contesté que era buenísima escribiendo.

De pequeñita leyó en la prensa que querían linchar a unos delincuentes, y ella escribió un cuento en que su ángel de la guarda les ayuda a reformarse.

En séptimo de EGB:

"Le toca dormir…
Suenan fuera gotas brillantes
corriendo por su ventana;
un millón de vidas
susurra música.

Mas solo oye el tic-tac de su reloj.
Cierra los ojos:
de aquí para allá, pensamientos;
vagas glorias, vagas penas. "Llueve".
Por sus oídos discurren los sonidos

Celestiales...

Allá, en lo más profundo
oculto en un paraíso
algo llora, algo late.
…fue la estrella que deseó
pero jamás intentó..."

"Mientras tengas algo en qué creer,
y en qué luchar,
mientras dentro de ti persista el
deseo de volar;
mientras te falte algo por hacer
en cada amanecer nacerás".

Altruista, dudaba entre Pedagogía o Teatro. Deseaba corregir la Educación especial; y yo le aconsejé elevar el radio de acción: enseñar a los maestros, y no en una aldea perdida a unos pocos niños. Me descorazonó oír en sesión de Filosofía: "¿Qué moral nos inventamos después de que

Dios ha muerto?". Pase que el pueblo antropomorfice a Dios con barbitas— el caballo y el pez lo verían como caballo y pez. Pero que la Filosofía "ancilla Teologiae" desvirtúe la moral natural impresa en los hombres, microcosmos que repetimos la creación divina…

Su afición al teatro la comprendo perfectamente: ¿no hay en todo artista un deseo de crear ese mundo ideal, bello — evasión o trasunto testimonial de la Realidad—, deseando emocionar, enamorar con tu alma al prójimo?
Pero la pícara realidad sacrifica el ideal al "prosperar, situarse o labrarse un porvenir". En Canarias —en el mundo— hay sed de cultura, pero tragamos series televisivas extranjeras en lugar de filmar nuestros valores e irradiarlos.
"No hay prisa", dijo el director teatral cuando le dije que era un pecado actuar para sí mismos. Querían perfeccionarse, pero yo cada vez creo más en la primitiva, ingenua inspiración.
Antes, los hijos seguían la profesión o estudios del padre, que transmitía secreto gremial. Algunos disentían su afición y trabajo. Lo ideal es que trabaje en su gusto, disfrute, "se

realice". Emi ha sabido conjugar ambos. Cuando aprobó su griego tercero con el co-trabajo, y duro, como pez en el agua en Bellas Artes, calibré su gran capacidad cuando se fracturó la tibia en el examen de escultura y la escayolaron en cama desde febrero. En junio aprobó todo con muletas, excepto escultura, en septiembre recién quitado el yeso en agosto, de mañana y tarde. Yo le había dicho que primero era la salud, aunque tuviera que repetir curso, y me emocionó su coraje. Muy impulsiva creando, le aconsejaba contenerse, viendo su mono manchado: "-Tienes razón", me contestó.

Al comenzar cuarto, estaban los compañeros en círculo, en el amplio taller. Llega ella decidida a su cuadro de gran formato. Inicia el energético brochazo —más que pincelada— y oye volverse a todos manchados con su "lluvia" de pintura. Luego llega a otra clase en que se forman su "apartamento" con caballetes. Ella elige el rinconcito de la ventana y, al levantar nuevamente el pincel, oye: "¡¡Emi!!"; mira al lado y ve a su compañero Luis "duchado" en charco azul. Desde tercero expone y obtiene premio. Acaba de regresar de Amberes, becada con el proyecto Erasmus. Vio París, Polonia, Gante, Brujas; y en septiembre hará Interrail, que expondrá en Europa y la facultará para trabajar en ella. Me gustaría que haga su doctorado y enseñe en la Facultad; que no se pierda en el éxodo de institutos como yo. Y podrá combinar sus clases —el pan asegurado— y crear pintando libre.

Ella también escribió en primero de BUP este relato: Vuelos y visiones de una gaviota: "Hola, soy una blanca gaviota de alas cansadas, que ha volado mucho bajo el sol, el mismo sol que alumbra a todas las naciones del mundo. Mi experiencia fue única y hoy, ya vieja y cansada de volar, quiero contarles a todos los que me quieran oír…" (Una gaviota que se sacrifica por un niño hambriento, pieza central de su visión moral y estética).

Rafa, apacible y noble, estudia Económicas. Me gustaría que Eva —sobresaliente, en la Pureza le decía "tú, para la NASA"— hiciera Ciencias Políticas, y que entre ambos arreglen el reparto de la producción. (Gorbachov, Reagan, intentan desarme; la Thatcher, con otros "empiezan a pensar" en el Tercer Mundo, pero Lefevre quiere frenar la vuelta del moderno Juan Pablo II a Cristo, apócrifo "allí será el rechinar de dientes", no acorde con "que tire la primera piedra".

Caridad, no *at ignis et a ferro*: la espada nos echó del Paraíso, y
pirómanos en este mundo -inquisitorial hoguera- y en el
otro, cuadros de Virgen con "buenos" bajo su manto y
"malos" en fuego infernal, siempre jamás).

Isabel aprendió a cantar "Chiquitita" antes de hablar.

Tocaba el órgano de oído —un rock— sin llegarle los
deditos, dibuja ideal… quería ser profesora, modelo,
cantante, señorita de gimnasia, poner una tienda de
golosinas… Lástima no haber hecho películas de niña
prodigio. (Un amigo "me construyó" en mis distintas edades
a través de mis hijas, parecidas).

IV. CARNAVAL DEL 88

En el Carnaval del 88 colaboró mi familia: mi hermano
Juan, publicitario y ex torero, llevaba haciendo el programa
varios años. Facundo pintó el cartel anunciador e inauguró
el Museo del Carnaval donando un cuadro de travestí de su
exposición.

Mi hija Emi pintó, con tres compañeros, la fachada de la
Plaza de Toros y el pavimento de la Rambla frontero. Yo
me quejaba de verla en andamios y por los suelos.

Mi marido, Rafael, reciente presidente de Los Fregolinos,
fue invitado con el Ayuntamiento al hermanamiento con
Río de Janeiro, vio Iguazú. Y yo escribí la presentación del
folleto de esta asociación, a cuya primera edición perteneció
mi suegro.

"Carnaval 88… Los abiertos brazos de la cruz de nuestras
plazas de España y Candelaria acogen al arribante marino y
al exultante fluir del gentío, engalanado en la fantasía
ilusionada o en la broma divertida del ensueño y la parranda
del jolgorio y el arte.

Día y noche, grandes y chicos, hermanados en el júbilo de la
vida, olvidamos el "tuyo" y el "mío". Deslastramos el
engranaje cotidiano para alborozarnos en la calle,
contagiados de la sana alegría que nos sumerge a
cimbrearnos unidos, hombro con hombro, palpitando al
compás alternante del camino.

O espectadores de la interminable cabalgata de carrozas,
comparsas, murgas y rondallas.

O embelesados en la audición lírica de nuestros *Fregolinos* en el templete de la Plaza del Príncipe, cuyos laureles coronan los sones elevados al azul de la tradicional zarzuela en las voces de Carlos y de Pablo, y del recordado Marcos, abierta ahora bajo la batuta del creador de "Santa Cruz en Carnaval" a ritmos modernos y aires canarios, con que vibramos unidos en la brisa dorada, o resonamos en el aplauso del Guimerá.

Y la fiesta esperada quedará en el recuerdo, para algún foráneo nuevo, para el chicharro conocido, del Carnaval 88...."

Ah, me disfracé de mascarita un par de veces y me reí mucho bromeando sanamente con gente que ni remotamente imaginó que fuera yo. Otras veces salí con mis hermanos; este año, disfraz de cine: Emi me pintó *Candilejas*.

V. LA PRUEBA Y LA FÉ

En la cuenta atrás del plazo de mi novela, di el martes 12 de abril una conferencia sobre Galdós en Las Dominicas, escrita la víspera.

Como Lope, muchas pasaron "de las musas al teatro en horas veinticuatro".

El 14, Emi a Amberes; y el 21, cuando más feliz estaba, al regreso de la Semana Santa en La Palma, pensando en el próximo chequeo en Madrid y quizá visitar en París a unos amigos que los habían invitado, le da a mamá una hemiplejia con afasia, en principio gravísima, en coma, desahuciada.

Pero invocamos a Dios a través de Fray Leopoldo, San Francisco -Salud y Trabajo; Las Nieves —que se me abrieron las muñecas al bajar su trono de plata, gracia en cinco años— y el poder de la mente, la fe, la vida; le ha dado fuerzas para recuperarse lentamente. Ya se mantiene en pie y apenas dice "ayayá", pero cuenta el parchís, y hoy enamoraba con papá, que está derrumbado.

Él le había escrito: "A mi ama Ema de su amo que la ama" unos versos preciosos, inéditos y personales. Yo lo animo a escribir, sin acritud, su visión de la historia. Él siempre ha sido español de pro, honrado en su concepto de la patria, la justicia, el deber, y le entristece esta época chaquetera en la que parecen haberse perdido los valores.

Pero yo lo consuelo, optimista: la historia nos muestra que, tras la decadencia y el desenfreno, persiste la virtud. Ser tolerante; que la naturaleza es sabia. Comprensión permisiva según el principio categórico de Kant: "obra de tal manera que tu conducta pueda convertirse en máxima universal". No podemos negar un mundo contaminado. Me hizo reír M. Benedetti en el capítulo *Beatriz, la polución,* de *Primavera en una esquina rota.* Usemos alternativas naturales para nuestra energía; respetemos el planeta y respetémonos nosotros mismos. La investigación genética no debe suplir al arquitecto creador. Erradicar la droga que mata cerebros. Educar para la vida a la juventud en el amor y el bien. No dibujos animados violentos —*Correcaminos*—, ni *films* destructivos; payasadas de estropicios como cubos de pintura sobre ropa o escenario nuevos, habiendo gente sin casa o desnudos; *gags*, tirar tartas, habiendo hambrientos; ni películas rompecoches.

Educare = "nutrir, criar, cuidar, acompañar", del exterior al interior, complementa con *Educere* = "extraer, guiar, conducir", respetando el libre albedrío. El niño nace sano y la sociedad le corrompe, decía Rousseau, pero el educador de su *Emilio* no le hace ver que la verdad —su norma de conducta— está en sí mismo, no en el maestro, como muestra el filósofo galdosiano Manso, artífice de los que han venido tallando en el bloque de la bestia humana -Peña- la hermosa figura del hombre divino (imagen - imaginación, real - inverosímil). Respeta orden, tolera libertad.

En el hospital, rodeada de enfermos en coma:

SOBRE SILLA DE MADERA

Sobre silla de madera
 la manta amorosa espera
 cobijar al que no aliente,
 mientras piensa lo que siente.
 Ver a mi inteligente madre disminuida,
 tan milagrosamente joven y bella,
 pero viva,
 me hace agradecer a Dios tenerla.
 Pero pienso, ¿qué medita?
 La fisio le hace mover pierna;
 caminará.
Pero el brazo…su derecha descansa,
 y la logopeda intentará enseñarle

a hablar de nuevo.

Deseo nos explique sus silencios,

no entendida…

¡Oh, el verbo!, la palabra divina...

Ver su afasia me ha impelido

a contar esta historia de una ingenua

que desea la paz en el mundo

y vive como en sueño todo lo que le sucede,

hiriendo contra su voluntad a los suyos,

en continua lucha con su deseo de

bondad y alegría,

amargada por no ser perfecta.